DOROTHEA BÖHME

Neben der Spur
ist auch
ein schöner Weg

Buch

Laura, Margot und Sabine haben eines gemeinsam: gute Gründe, dem Alltag für einige Zeit zu entfliehen! Und sie alle haben dasselbe Ziel: Bella Italia.

Laura und Margot lernen sich in einer Jugendherberge in Innsbruck kennen und beschließen, da sie ja nun beide in Richtung Süden wollen, die Reise zusammen fortzusetzen. Noch vor der Grenze gabeln sie eine Anhalterin auf: Sabine, die ein blaues Auge hat und nur einen Aktenkoffer bei sich trägt.

Es beginnt eine abenteuerliche, chaotische Reise, bei der die drei vor einem privaten Ermittler flüchten, ein Verbrechen aufklären, sich mit Liebesdingen herumschlagen und noch viele andere Turbulenzen gemeinsam überstehen. Doch am Ende haben sie auf ihrer Suche nach dem Glück das Wichtigste im Leben gefunden: Freundschaft!

Autorin

Dorothea Böhme wurde 1980 in Hamm (Westfalen) geboren. Es hat sie immer schon in die Welt hinausgezogen: Sie studierte in Deutschland und Österreich, verbrachte einige Monate in Ecuador und Italien und arbeitete als Deutschlehrerin in Ungarn.

Dorothea Böhme

Neben der Spur ist auch ein schöner Weg

Roman

blanvalet

Verlagsgruppe Random House FSC® N001967
Das FSC®-zertifizierte Papier *Holmen Book Cream*
für dieses Buch liefert Holmen Paper, Hallstavik, Schweden.

1. Auflage
Originalausgabe Mai 2014 bei Blanvalet Verlag,
einem Unternehmen der
Verlagsgruppe Random House GmbH, München
Copyright © 2014 by Verlagsgruppe Random House GmbH,
München
Dieses Werk wurde vermittelt durch die
Literaturagentur Schmidt & Abrahams
www.schrift-art.net
Umschlaggestaltung: www.buerosued.de
Umschlagmotiv: corbis/Darius Azari
Redaktion: Margit von Cossart
LH · Herstellung: sam
Satz: Buch-Werkstatt GmbH, Bad Aibling
Druck und Bindung: GGP Media GmbH, Pößneck
Printed in Germany
ISBN: 978-3-442-38250-7

www.blanvalet.de

1

Zwei Striche. Laura schüttelte das Teststäbchen. Das Ergebnis blieb das gleiche. Sie schüttelte noch einmal, ihre schweißnassen Finger boten keinen Halt, das kleine Ding rutschte ihr aus den Händen und flog hinter die Toilettenschüssel. Fluchend tastete sie danach und wischte die Finger angewidert an der Hose ab. Laura kramte den Beipackzettel hervor, doch auch er brachte keinen Trost. Zwei Striche, sie war schwanger.

Jemand klopfte an die Toilettentür. »Wird's bald da drin?«

Laura warf das Teststäbchen in den Mülleimer, raffte ihre Schultasche zusammen und öffnete die Tür.

»Bin ja schon fertig«, murmelte sie, während sie sich an der Frau vorbeidrängte.

Ihr war heiß, ihr war übel, und der McDonald's war viel zu voll. Sie kaufte sich eine Cola an einem der Schalter und verließ den Laden.

Ihr Handy klingelte. Sina.

»Rate mal, wen ich gerade gesehen hab!«, schrie ihre beste Freundin. »Matthias mit seiner Neuen!

Wie die angezogen war, das glaubst du nicht! Ich hab ein Foto gemacht, ich schick's dir gleich. Echt, du packst es nicht! Wie die aussah!«

Sina legte auf, und ein paar Sekunden später summte Lauras Handy. Ohne sich das Foto anzusehen, drückte sie auf »löschen«.

Das Handy klingelte erneut.

»Hast du gesehen? Unglaublich, oder? Und wegen so einer verlässt der dich? Hast du Melli schon angerufen? Warte, nein, ich schick ihr auch das Foto. Hammer, echt!«

Laura schaltete ihr Handy lautlos. Sie saugte einen Schluck Cola durch den Strohhalm. Es gab so viele Gefühle, so viel Verwirrung.

Vor der Schaufensterscheibe eines Reisebüros blieb sie stehen und starrte auf das Plakat. Sonne. Meer. Italien. Sie hatte mit Matthias oft über Italien gesprochen. Die ersten gemeinsamen Ferien ohne die Eltern wollten sie am Strand von Lignano verbringen. Der Colabecher glitt ihr aus der Hand.

»Scheiße!«

Flecken auf den Schuhen und auf der Hose. Ein Mann reichte ihr ein Taschentuch, und Laura wischte über ihre Hose. Der Mann reichte ihr noch eins.

»Für ...« Er wies mit dem Kopf auf ihr Gesicht.

Sie hatte gar nicht gemerkt, dass sie weinte, und putzte sich die Nase.

»Danke«, sagte sie schließlich.

Was sollte sie ihren Eltern sagen? In deinem Alter hast du doch wohl noch keinen Sex!, hatte ihre Mutter entsetzt gerufen, als sie einen Termin beim Frauenarzt wollte.

Laura seufzte und dachte an die Schule. Sie wollte im kommenden Jahr Abi machen und dann Jura studieren. Wie sollte sie das als alleinerziehende Teenager-Mutter hinbekommen?

Matthias. Sie musste es Matthias erzählen. Vielleicht tat es ihm dann leid, dass er sie verlassen hatte. Vielleicht würde er seine Neue verlassen, zu Laura zurückkommen, und alles würde gut werden. Sie konnte immer noch Jura studieren! Matthias würde auf das Baby aufpassen, während sie an der Uni war. Matthias wollte sich ohnehin eine Auszeit nehmen nach dem Abi.

Laura scrollte in ihren Kontakten und wählte Matthias' Nummer. Es klingelte fünfmal, dann antwortete die Mailbox. Laura versuchte es noch einmal, doch es blieb bei der Mailbox.

Sie rief Sina an.

»Ich will Matthias zurück«, sagte sie.

Sina las die *Cosmopolitan*, Sina wusste immer, was zu tun war.

»Die rote Rosa passt auch überhaupt nicht zu ihm!«

Dazu konnte Laura nichts sagen, sie kannte die rote Rosa nur vom Sehen.

»Meine Mutter findet allerdings, dass ich auch nicht zu ihm passe«, gab Laura zu bedenken.

»Deine Mutter! Was weiß die denn schon von Liebe?«

Da hatte Sina recht. Lauras Mutter hatte keine Ahnung, wie es sich anfühlte, den Richtigen gefunden zu haben.

»Wie kriege ich ihn zurück?«, kam Laura wieder aufs Thema. »Ich brauch deinen Rat. Du kennst dich aus.«

»Allerdings.«

Der Stolz in Sinas Stimme war nicht zu überhören. Sie bildete sich etwas darauf ein, in Sachen Beziehung und Männer Expertin zu sein. Und sie wusste tatsächlich Bescheid, auch wenn ihre Quellen manchmal fragwürdig waren. Laura konnte nur Trompete spielen. Das half ihr im Moment nicht weiter.

Sina machte keine Anstalten, mehr zu sagen. Vielleicht suchte sie erst die letzten Ausgaben der *Cosmopolitan* zusammen.

»Könnte ich ihm von einer Schwangerschaft erzählen?«, fragte Laura schließlich. Sie hielt die Luft an.

»Nein, nein, auf keinen Fall unter Druck setzen! Das zerstört den männlichen Jagdinstinkt.«

»Also nichts von Schwangerschaft erzählen«, schlussfolgerte Laura. Nach dem Jagdinstinkt fragte sie lieber nicht. Sie war doch kein Wildschwein.

»Lass mal diese blöde Schwangerschaft!«

Ha, wenn das so einfach ginge! Laura wäre sehr dankbar dafür. »Okay, okay, ich brauch also eine andere Idee. Was stand noch mal in dem letzten Psychotest? Geheimnisvoll, oder? Männer mögen geheimnisvolle Frauen.«

»Genau.« Laura konnte Sina eine Seite umblättern hören. »Du musst wie eine Eiskönigin wirken. Unerreichbar und fern. Das belebt den Jagdinstinkt.«

»Und wie soll das gehen? Ich meine, geheimnisvoll sein beim Matheaufgabenlösen?«

Sina lachte. »Fang erst mal mit unerreichbar sein an! Das ist gar nicht so leicht, wenn man an der gleichen Schule ist! Du, ich hab Melli auf der anderen Leitung. Ich ruf dich zurück!« Sie legte auf.

Laura seufzte. Es stimmte. Unerreichbar zu sein, wenn sie beide das Goethe-Gymnasium besuchten, war so gut wie unmöglich. Ganz zu schweigen von geheimnisvoll. Sie brauchte Zeit zum Nachdenken.

Sie setzte sich auf eine Bank und stellte fest, dass sie direkt vor dem Bahnhof saß. Wenn das kein Zeichen war. Wer war unerreichbarer als jemand, der überhaupt nicht da war? Laura stand auf.

Erst am Schalter hielt sie inne. Wohin wollte sie?

»Nach Italien«, sagte sie zu dem Schalterbeamten.

Wie romantisch wäre es, wenn Matthias sie dort suchte, wo sie immer schon gemeinsam hinwollten? Sie könnten ihre Liebe in Venedig besiegeln oder in Verona!

Der Bahnangestellte zog eine Augenbraue hoch. »Dahin werden Sie heute nicht mehr kommen.« Er sah auf die große Uhr an der Wand gegenüber. »Für den Nachtzug müssen Sie reservieren. Dafür ist es jetzt zu spät.«

»Wohin komme ich heute noch?«

Laura suchte in ihrer Tasche nach dem Portemonnaie. 23,64 Euro in bar und ihre EC-Karte.

»Wenn Sie unbedingt nach Italien wollen, kann ich Ihnen ein Ticket nach Innsbruck verkaufen. Von dort müssen Sie dann weitersehen.«

Laura nickte. Innsbruck klang gut.

2

Es quietschte leise, als Eddies Sarg ins Grab hinuntergelassen wurde. Margot sah zu, wie die kleinen Rädchen sich drehten, und dachte, dass jetzt doch eigentlich die Trauer einsetzen könnte. Die Trauer, die sie schon nicht gespürt hatte, als sie den Notarzt gerufen, dem verständnisvollen Beerdigungsunternehmer von Eddies Herzinfarkt erzählt, Karten geschrieben und mit dem Pfarrer die Grabrede besprochen hatte. Es war die Beerdigung ihres Mannes, ihres eigenen Ehemannes, Herrgott noch mal! Da musste sie doch Trauer zeigen.

Margot versuchte, nicht zu auffällig auf die Uhr zu schauen. Wie lange redete dieser Pastor denn schon? Ihrer Uhr nach waren es acht Minuten, vom Gefühl her mindestens achtzig. So alt, wie Eddie geworden war. Sie schüttelte ihren Ärmel zurück übers Handgelenk, sodass ihre Armbanduhr unter der Blusenmanschette verschwand.

Rechts von ihr stand Daniel, Tränen in den Augen. Sie unterdrückte den Impuls, noch einmal auf die Uhr zu sehen. Was war nur mit ihr los? Langeweile war wirklich nicht das passende Gefühl für eine Beerdigung.

Der Pfarrer sprach einen Segen, dann drückte er Margot die kleine Schaufel in die Hand, mit der sie Erde auf Eddies Sarg werfen sollte. Sie seufzte nicht, als sie die lange Schlange sah, die sich hinter ihr drängte. Es würde noch eine ganze Weile dauern.

»Wir fahren jetzt ins Café, Mama«, flüsterte Daniel ihr zu. »Mach dir keine Sorgen. Alles wird gut.«

Worüber sollte sie sich Sorgen machen?

Daniel hatte für alles gesorgt.

Margot fuhr im Wagen von Onkel Heinrich mit. Bei Daniel war kein Platz wegen der Kinder.

Das Café war geschmackvoll eingerichtet, im Hintergrund lief leise klassische Musik. Genau das richtige Ambiente für einen Leichenschmaus. Jetzt wurde sie auch noch zynisch. Bevor irgendein nostalgischer Verwandter sie mit Beschlag belegen konnte, flüchtete sie aufs WC. Mit dem Kamm, der immer in ihrer Handtasche steckte, ordnete sie ihre silbergrauen Locken, an denen es eigentlich gar nichts zu ordnen gab, dann zog sie sich die Lippen nach. Die Tür wurde geöffnet.

»Wie furchtbar«, jammerte Eddies Schwester. »Margot, du tust mir so unendlich leid.« Sie umarmte ihre Schwägerin und hinterließ einen nassen Fleck auf Margots Schulter.

Margot runzelte die Stirn. Du liebe Zeit. War Alkohol auf einer Trauerfeier erlaubt? Wenn sie noch mehr solche Beileidsbekundungen durchstehen sollte, dann musste etwas Stärkeres als Kaffee herhalten. Sie löste sich aus dem Klammergriff ihrer Schwägerin und verließ schweigend die Toilette.

Sie bekam einen Platz neben Daniel, der ihr fürsorglich Kaffee einschenkte, Kuchen aufgab und sie ansonsten in Ruhe ließ. Stühle rückten, Teller und Tassen klapperten, die Gäste redeten mit leisen Stimmen. Von draußen prasselte der Regen an die Fensterscheiben. Wie überaus passend für eine Beerdigung.

Margot zählte die Schlucke Kaffee, die sie trank. Siebenundsechzig. Wann war die Veranstaltung zu Ende?

»Es ist ja so schrecklich«, verabschiedete sich Eddies Schwester. »Wie du das jetzt nur aushalten sollst in dem großen Haus.«

Als ob Eddie so viel Platz eingenommen hätte.

Daniel räusperte sich.

»Darüber wollten wir ohnehin noch mit dir sprechen.«

Worüber? Und wieso wir?

»Meinst du nicht, es wäre eine gute Idee auszuziehen?« Daniels linkes Auge zuckte.

»Wohin?«

»Wir dachten«, fuhr Daniel fort, wieder mit diesem Wir, »dass es dir vielleicht in einer Art Einrichtung gut gefallen könnte. Ich meine kein Altersheim«, sag-

13

te er schnell, bevor Margot protestieren konnte, »sondern betreutes Wohnen. Eine Einrichtung, in der du Hilfe bekommen könntest. Nur ein bisschen.«

»Daniel, ich bin dreiundsiebzig!«

»Eben, Mama. Du wirst auch nicht jünger. Und was, wenn dir etwas passiert?«

Dann konnte sie zum Arzt fahren. Oder den Arzt anrufen. Oder die Nachbarn alarmieren. Oder Daniel.

»Ich werde darüber schlafen«, versprach Margot ihm.

Das hatte bei Eddie immer funktioniert. Margot hatte so lange über seine Ideen geschlafen, bis sie vergessen waren.

Daniel rief ihr ein Taxi.

»Es muss ja nicht morgen sein«, sagte er zum Abschied. »Aber du wärst dort nicht allein.«

Allein! Das war sie doch seit Tagen nicht mehr gewesen. Eddies Schwester war ständig um sie herumgewuselt, der Beerdigungsunternehmer, Daniel …

»Was ist alt?«, fragte Margot den Taxifahrer, als er in ihre Einfahrt bog.

Er lachte.

»Nein, ehrlich. Finden Sie, dreiundsiebzig ist alt genug für ein Altersheim?«

Der Taxifahrer wartete, bis sie ihm das Trinkgeld in die Hand gedrückt hatte.

»Ist das Essen gut?«

»Ich war noch nicht da.«

»Machen Sie's vom Essen abhängig. Gibt nix Schlimmeres als diesen furchtbaren Anstaltsfraß. Da reißen Sie nach drei Tagen aus.«

Margot nickte und schloss die Autotür. Kochen konnte sie. Eddie hatte ihr Essen geliebt! Na gut, in den letzten Jahren hatte sie hauptsächlich Spaghetti, Risotto und *Filetto con funghi* gekocht. Und Eddie hatte ständig gemeckert. Er mochte italienisches Essen nicht.

Margot öffnete die Haustür, trat über die Schwelle und atmete die Leere ein. Kein Eddie. Sie nahm den schwarzen Hut ab und legte ihn auf die Kommode neben die Autoschlüssel.

Was jetzt?

Normalerweise hätte sie jetzt angefangen, das Abendessen vorzubereiten. Die Steinpilze waren schon gekauft, *porcini*. Sie hätten gegessen und dann zusammen auf dem Sofa ferngesehen. Eddie hätte einen Krimi angeschaut, und sie selbst hätte nur hin und wieder hingesehen. Sie sah selten fern, außer wenn es Reisesendungen gab. Natürlich über Italien. Sie hatte immer dorthin gewollt. Schon zur Hochzeitsreise war das ihr großer Wunsch gewesen, aber es war jedes Mal etwas dazwischengekommen. Nie waren sie im Urlaub gewesen. Nie in Italien. Eddie hatte immer eine andere Ausrede gehabt. *Machen Sie's vom Essen abhängig …* Wo war das Essen am leckersten? Wo gab es den besten Wein?

15

Margot strahlte.

»Ich bin alt«, sagte sie und dachte an all die Vorteile, die das hatte. »Ich kann machen, was ich will.«

Wenn schon Altersheim, dann wollte sie ihr Leben in Freiheit mit einem Knall beenden. Sie setzte sich ihren Hut auf, nahm die Autoschlüssel und verließ das Haus. Von wegen alt! Sie war noch fit wie ein Turnschuh, das Tragen von Gesundheitslatschen konnte noch einige Jahre warten. Wenn sie nach Italien fahren wollte, würde sie das tun. Wer sollte sie denn daran hindern? Eddie war tot. Daniel konnte allein seine Prospekte von Altersheimen durchsehen. Sie würde Pizza essen und *vino tinto* trinken.

3

»Alles in Ordnung mit dir?«

Der Rezeptionist der Jugendherberge Innsbruck sah Laura neugierig an. Sie hatte wahrscheinlich rote Augen. Zumindest fühlten sie sich geschwollen an. Die Zugfahrt war zwar relativ kurz, aber nicht angenehm gewesen. Sie hatte einen Plan, aber Matthias und die rote Rosa gingen ihr nicht aus dem Kopf, und das kleine Wesen, das da in ihr heranwachsen sollte, auch nicht.

»Allergie«, antwortete sie und versuchte sich an einem Lächeln. Die Jahreszeit kam gelegen.

Der Rezeptionist nickte. »Frühstück ist inklusive.« Er sah auf die Uhr. »Küche ist jetzt zu.«

Laura nahm den Zimmerschlüssel entgegen.

»Bis jetzt bist du allein«, erklärte der Mann, »aber ich kann nicht garantieren, dass das so bleibt. Es ist noch relativ früh.«

Laura bedankte sich und verschwand nach oben. Zimmernummer 212, zweiter Stock. Es war ein Sechsbettzimmer, der Platz reichte gerade einmal für vier, schätzte Laura. Die Einrichtung war modern. Helle Holzmöbel gaben dem Raum ein freundliches Aussehen, und das Badezimmer war blitzblank.

Laura ließ sich aufs Bett fallen. Sie holte ihr Handy aus der Tasche. Neununddreißig Anrufe in Abwesenheit. Sieben von ihrer Mutter, zweiunddreißig von Sina.

Sie tippte *Liebe Mama, ein Notfall. Bin bei Sina, komm bald zurück* ein und löschte es wieder. Sie versuchte es noch zweimal. Schließlich schrieb sie *Mach dir keine Sorgen. Ich liebe dich* und drückte auf Senden. Es war eine blöde SMS. Aber zumindest hatte sie das Thema Mutter erledigt. Sie tippte eine weitere SMS an Sina: *Befolge deinen Rat. Bin unerreichbar. Drück mir die Daumen!* Dann schaltete sie das Handy aus und schloss die Augen. Zwei Striche tanzten unter ihren Lidern, und Laura öffnete die Augen wieder. Was hatte sie sich eigentlich gedacht? Was, wenn nicht alles gut werden würde? Was, wenn Matthias nicht kam? Ihr Problem verschwand nicht, egal, wie weit sie weglief. Es war in ihr drin. Sie nahm es mit.

Laura holte tief Luft. Sie brauchte Matthias. Geheimnisvoll, hatte Sina noch gesagt. Sie musste geheimnisvoll und unerreichbar sein, dann würde Matthias kommen. Das »unerreichbar« hatte sie geschafft, jetzt fehlte noch geheimnisvoll. Laura strich sich über ihren Bauch. Das war vielleicht eine Idee. Sie holte ihr Handy heraus.

Die Zimmertür wurde geöffnet.

»Hallo?«, fragte eine ältere Dame.

Sie war zierlich, ganz in Schwarz gekleidet und trug einen großen Hut. Was machte sie in einer Jugendherberge?

Laura setzte sich auf. Sie sah sicher schrecklich aus – ihre Wimperntusche war zerlaufen, das T-Shirt von der langen Fahrt verschwitzt. Sie wusste nicht, ob es eine Art Jugendherbergsbenimmbuch gab. Musste sie mit der Frau reden? Sich vorstellen?

»Ich bin Margot.« Die Frau reichte Laura eine kleine, faltige Hand.

»Laura«, murmelte Laura. Sie wünschte, die Frau würde gehen. Hoffentlich fragte sie nicht, ob es ihr gut ging. »Allergie«, setzte Laura vorsichtshalber hinzu.

Die Ältere, Margot, nickte und sah sich um. Sie drehte sich einmal im Kreis und seufzte zufrieden auf. »Viel besser als im Altersheim.«

Beinahe hätte Laura gelacht.

Margot nahm ihren Hut ab und legte ihn vorsichtig auf den kleinen Tisch in der Mitte des Raums. Ihre Handtasche stellte sie daneben. Wie Laura hatte auch Margot kein Gepäck dabei, und Laura fragte sich, ob sie wohl auch vor etwas davonlief.

4

Das Zimmer der Jugendherberge war nett. Viel hübscher, als sie es sich vorgestellt hatte. Sie hatte gar nicht vorgehabt, in einer Jugendherberge zu übernachten. Aber es war so gut ausgeschildert gewesen, dass Margot auf die beschwerliche Suche nach Hotels verzichtet hatte. Außerdem fand sie es unglaublich passend, statt in ein Altersheim in eine Jugendherberge zu gehen.

Der Rezeptionist hatte sie seltsam angesehen, genau wie das Mädchen auf ihrem Zimmer. Vielleicht war sie doch zu alt? Vielleicht hätte sie doch besser ins Hotel gehen sollen oder gleich ins Seniorenstift?

Oder es lag am Hut.

Margot wusch sich im Bad die Hände und kehrte ins Zimmer zurück.

Laura wirkte unruhig. Sie knabberte auf ihrer Unterlippe und wippte mit dem Bein. Margot war sich sicher, dass die verweinten Augen und die rote Nase nicht von einer Allergie kamen. Jetzt stand Laura auf, gleich darauf setzte sie sich wieder hin und stand erneut auf.

»Ich brauche frische Luft«, sagte sie und schnappte sich ihre Jacke.

Das war eine gute Idee, fand Margot. Das Zimmer, die Jugendherberge, ihr ganzes Leben war stickig. Entschlossen nahm sie ihren Hut vom Tisch.

»Ich komme mit.«

Laura blinzelte sie verwirrt an, dann liefen sie schweigend nebeneinanderher die breite Treppe hinunter.

Draußen war es schon fast dunkel und erstaunlich warm für einen Tag Anfang April. Innsbruck bei Nacht war schön. Ruhig und südlich und irgendwie frei.

»Wieso Altersheim?«, fragte Laura plötzlich. »Sind Sie da abgehauen?«

»Ich bin dreiundsiebzig!« Margot runzelte die Stirn. »Das ist für dich wahrscheinlich Lichtjahre entfernt.«

»Sie haben vom Altersheim gesprochen. Im Zimmer.«

Das hatte sie. Sie konnte Laura keinen Vorwurf machen.

»Du kannst mich ruhig duzen.«

Alt war alt, aber zwei Frauen, die sich das Zimmer einer Jugendherberge teilten, sollten sich nicht siezen.

»Margot«, sagte Laura.

Sie hatte es sich also gemerkt. Margot lächelte.

»Was machst du in Innsbruck, Laura?«

»Bin auf der Durchreise.« Das Mädchen zuckte mit den Schultern. »Und du?«

»Ich mache das, was ich will.« Das hatte Margot auf der Fahrt beschlossen. »Keine Verpflichtungen, kein Mann, kein Altersheim.«

Wieder das Altersheim. Dabei wollte sie das doch eigentlich fürs Erste vergessen.

»Muss schön sein, so ganz ohne Verpflichtungen.« Laura seufzte.

»Es dauert ziemlich lang bis dahin. Ich habe einen Sohn großgezogen, zwanzig Jahre gearbeitet, einen Mann beerdigt.«

»Oh.«

»Nicht schlimm, ist alles lange her.« Die Zeit zwischen der Beerdigung und der Innsbrucker Nacht kam ihr tatsächlich vor wie eine Ewigkeit. Vielleicht war sie nicht nur in den Süden gefahren, sondern auch in die Zukunft.

»Kinder sind … etwas Schönes?«, fragte Laura.

Es klang, als hätte sie etwas anderes sagen wollen.

Margot seufzte »Nicht, wenn sie dich ins Altersheim stecken wollen.«

»Ach, deswegen Altersheim.« Laura sah sie von oben bis unten an. »Siehst doch noch ganz fit aus«, sagte sie. Dann wandte sie den Blick zur Straße zurück.

Margot blieb stehen. Sie sah noch ganz fit aus. Und damit hatte sich die Sache. Alles war gesagt. Sie schüttelte den Kopf und lachte und sah das Mädchen an, das vor ihr die Straße hinunterlief.

»Wohin willst du?«

Laura drehte sich um und zog die Augenbrauen hoch.

»Jetzt? Auf dieser Reise? Oder in meinem Leben?«

Margot konnte sehen, wie Lauras Mundwinkel zuckten. Na also.

»Fangen wir mal mit jetzt an?«

Laura zeigte auf eine Bank, die am Eingang eines kleinen Parks stand. Sie setzten sich, und Margot streckte die Beine aus. Sie hörte entferntes Motorengeräusch, in einem Gebüsch raschelte es, irgendwo wurde ein Fenster zugeschlagen.

Eine Weile saßen sie schweigend nebeneinander, dann fragte Margot: »Und auf dieser Reise?«

Laura zuckte mit den Schultern. »Italien.«

Sie schwiegen wieder, bis Laura plötzlich sagte: »Ich bin schwanger.«

Margot blinzelte. Was sagte man zu so einer Enthüllung? Sie entschied sich für das Offensichtliche.

»Ungewollt.«

Immerhin erklärte das Lauras verweinte Augen.

»Ich bin doch erst ... achtzehn.« Wieder klang es so, als hätte sie eigentlich etwas anderes sagen wollen. »Ich hab noch nicht mal mein Abi.«

»Reifezeugnis hieß das damals«, sinnierte Margot.

Ihr eigenes lag über fünfzig Jahre zurück. Und vor nicht einmal zehn Stunden hatte sie ihren Ehemann begraben. Jetzt saß sie auf halber Strecke nach Italien neben einer schwangeren Schülerin.

»Wissen deine Eltern, dass du hier bist?«

Margot hasste es, die Spielverderberin zu sein. Aber sie war schließlich die Ältere. Die sehr viel Ältere.

»Ich lebe allein. Nix, worum sie sich Sorgen machen müssen.«

»Was hast du jetzt vor?«

Laura lehnte sich zurück und sah nach oben. Margot blickte ebenfalls in den Himmel. Die Sterne waren hier viel klarer zu sehen als zu Hause. Ob das wirklich so war oder Einbildung wusste sie nicht. Es war ihr auch egal.

»Ich habe einen Plan«, verriet Laura.

Margot runzelte die Stirn.

»Matthias wird zurückkommen.« Das junge Mädchen verschränkte die Arme hinter dem Kopf. »Ich muss nur ein wenig nachhelfen.«

»Nachhelfen?«

»Ich werde rätselhaft sein.«

Margot nickte. Das war Laura im Moment tatsächlich.

»Männer mögen rätselhafte Frauen«, erklärte Laura. »Sagt zumindest Sina, meine Freundin. Die hat es aus der *Cosmo*.« Sie holte tief Luft. »Ich werde ihn zurückbekommen.«

Margot wusste weder, was eine *Cosmo* war noch kannte sie Sina. Aber sie nickte aufmunternd. Was hätte sie sonst sagen sollen? Viel Erfolg?

»Da hinten ist eine Tankstelle.« Laura zeigte auf die nächste Straßenkreuzung.

Margot kniff die Augen zusammen.

»Na, du hast doch auch kein Gepäck dabei! Vielleicht gibt's da ja Zahnbürsten.«

5

Laura kicherte. Am Nachmittag im McDonald's hatte ihre nahe Zukunft Ähnlichkeit mit dem Weltuntergang gehabt. Jetzt stand sie neben einer alten Frau im Badezimmer der Innsbrucker Jugendherberge und kaute auf einer winzigen Einmalzahnbürste herum. An der Tankstelle hatte es keine Drogerieartikel gegeben. Der Tankwart hatte sie mit dem Hinweis auf einen Automaten aufs WC geschickt. Dort hatten sie sich für zwei Euro zwei kleine Bälle gezogen, in denen Zahnbürstenköpfe steckten.

»Was zum Geier ist das denn?«, hatte Margot gefragt und ihren Ball geöffnet.

Heraus kam ein biegsamer Zahnbürstenkopf. Laut Anleitung sollte man auf diesem herumkauen. Das taten sie nun seit zwei Minuten mit dem Erfolg, dass Laura das kleine Ding zweimal vor Lachen fast verschluckt hätte.

Margot wirkte zu lustig, wie sie versuchte, dabei elegant auszusehen. Ihren Hut hatte sie wieder abgelegt, die Perlenkette hing immer noch um ihren Hals. Und Laura musste schon wieder kichern.

Margot murmelte etwas Unverständliches, dann spuckte sie ihren Zahnbürstenball ins Waschbecken.

»Faszinierende kleine Dinger. Wir hätten uns mehr davon besorgen sollen. Wäre das nicht ein prima Souvenir für die Daheimgebliebenen?«

Laura spuckte ihren Zahnbürstenersatz ebenfalls aus.

»Viel besser, als Postkarten zu schreiben. Oder Feuerzeuge oder Miniatursehenswürdigkeiten als Mitbringsel zu kaufen.« Sie dachte daran, wie sie Sina einen der kleinen Zahnbürstenbälle überreichen würde.

Laura wusch sich das Gesicht, trocknete es mit Toilettenpapier und ging zurück ins Zimmer. Sie zog sich Schuhe und Hose aus und legte sich ins Bett. Margot folgte ihr.

»Ich müsste ein paar Anziehsachen kaufen«, sagte sie. »Mit nur einem T-Shirt kommt man nicht weit.«

»Mein Kleid ist auch nicht das Passende für eine Spritztour«, seufzte Margot. »Und als Nachthemd äußerst unbequem.«

»Morgen.«

Laura schloss die Augen. Sie war müde, hundemüde, aber schlafen war nicht so einfach. Sie drückte ihre rechte Hand auf den Bauch. War da ein Knubbel? Natürlich nicht! Was bildete sie sich ein! Trotzdem konnte sie nicht aufhören, ihren Bauch abzutasten. Was sollte sie nur tun? Es gab so viele Möglichkeiten und doch so wenige.

Sie hatte ein schlechtes Gewissen, ihre Eltern machten sich sicher Sorgen. Morgen würde sie anrufen. Oder noch eine SMS schreiben.

Warum hatte sie Margot von der Schwangerschaft erzählt? Sie kannte die ältere Frau doch gar nicht.

Laura drehte sich auf die andere Seite und schob eine Hand unter das Kopfkissen. Matthias. Das war das Wichtigste. Zuerst musste sie Matthias zurückbekommen. Sie tastete nach ihrem Handy, schob es unter die Bettdecke und fotografierte ihren Bauch. Sie grinste. Dann scrollte sie zu Matthias' Adresse und drückte auf Senden. Ob das rätselhaft genug war für ihn? Um unerreichbar zu sein, stellte sie ihr Handy gleich danach aus.

Laura zählte Schafe, von hundert rückwärts, und wurde müde. Matthias … ihre Eltern … die Schule … Es dauerte noch lange, bis sie endlich einschlief.

Es wurde gerade erst hell, als sie aus einem unruhigen Schlaf erwachte. Margot schnarchte leise. Laura sah auf ihr Handy. Es war 6:22 Uhr, und sie hatte mehrere Nachrichten auf ihrer Mailbox. Keine von Matthias.

Laura seufzte. Sie nahm ihre Kleidung und das Bettlaken und ging ins Badezimmer. Nach einer Dusche hatte sie sich seit dem vorigen Nachmittag gesehnt. Das Bettlaken konnte sie als Handtuch benutzen, in ihre verschwitzten Klamotten zu schlüpfen kostete sie Überwindung. Die Zugfahrt und die Übernachtung hatten Spuren hinterlassen. Sie musste dringend einkaufen gehen.

Als Laura ins Zimmer zurückkam, schlief Margot immer noch. Ihre silbergrauen Locken schienen genauso zerknautscht wie das schwarze Kleid. Leise zog Laura ihre Schuhe an. Sie ging hinunter und trat vor die Tür der Jugendherberge. Um die Berge mit ihren schneebedeckten Gletschern zu sehen, musste sie nur ein paar Schritte gehen. Laura setzte sich auf eine Bank und atmete tief die kühle Morgenluft ein. Auf den Straßen Innsbrucks war kaum Verkehr, Fußgänger waren ebenfalls nicht zu sehen. Laura fühlte sich sehr, sehr frei. Eine Weile genoss sie noch den Ausblick, dann beschloss sie zu frühstücken.

Im Speisesaal der Jugendherberge war nicht mehr los als draußen. Die große Uhr über der Eingangstür zeigte an, dass es kurz vor sieben war. Zwei Frauen waren in der halb offenen Küche damit beschäftigt, Kaffee zu kochen und das schmutzige Geschirr wegzuräumen. Laura bat um einen Kakao, nahm sich eine Scheibe Graubrot und etwas Käse vom Büfett und setzte sich an einen Tisch.

Wohin wollte sie eigentlich? Rom? Florenz? Venedig? Rom, Rom klang gut.

»Morgen«, sagte auf einmal jemand neben ihr. »Darf ich mich zu dir setzen?«

Ein Mann mit einem Frühstückstablett in den

Händen sah sie fragend an. Er hatte eine beginnende Glatze, Laura schätzte ihn älter als ihren eigenen Vater.

Sie sah sich um. Außer ihrem war ein weiterer Tisch besetzt, zwei junge Männer, die verkatert aussahen. Alle anderen Tische waren frei. Ohne eine Antwort abzuwarten, setzte sich der Mann und begann eine Unterhaltung.

»Was machst du hier so ganz allein?«

Laura zuckte mit den Schultern. Was wollte der Typ? Polizei? Hatten ihre Eltern eine Vermisstenanzeige aufgegeben?

»Ich bin übrigens Georg. Ich mache Urlaub.« Er bestrich ein Brot mit viel Butter, legte eine Scheibe Käse und zwei Scheiben Wurst darauf.

Laura nickte.

»Weißt du schon, was du heute unternehmen möchtest?«, fragte er. »Ich könnte dir die Stadt zeigen. Ich kenne mich ein bisschen aus.«

Oh, Himmel hilf, dachte Laura. Der Lieblingsausspruch ihrer Mutter, obwohl sie nicht gläubig war. Der Kerl war also nicht von der Polizei.

»Hab schon was vor«, nuschelte Laura und versteckte sich, soweit es ging, hinter ihrer Kakaotasse.

»Vielleicht können wir uns später treffen?« Georg griff über den Tisch nach ihrer Hand. »Wir hätten viel Spaß. Ich lade dich ein.« Er zwinkerte ihr zu.

Sina hätte dem Kerl jetzt den Kakao ins Gesicht

geschüttet, dachte Laura. Sie selbst erstarrte, wurde rot und wünschte sich weit weg.

»Ist das nicht ein herrlicher Tag?«, hörte Laura plötzlich eine fröhliche Frauenstimme hinter sich.

Margot! sie hätte beinahe vor Erleichterung laut aufgeseufzt.

»Guten Morgen, ich bin Margot«, stellte sich die ältere Frau vor, setzte ihr Frühstückstablett ab und reichte Georg ihre Hand. »Wie lieb von Ihnen, dass Sie meiner Enkelin Gesellschaft leisten.« Margot strahlte. Dann wurde sie ernst. »Nein, wirklich, vielen Dank«, sagte sie leise und beugte sich vor. »In der heutigen Zeit weiß man ja nie, was für Leute da draußen rumlaufen. Männer, die sich an junge Mädchen ranmachen, weil sie sie für leichte Beute halten.« Margot schüttelte traurig den Kopf. »Glücklicherweise ist mein Sohn Staatsanwalt. Der weiß, wie man mit solchen Individuen umgehen muss.«

Laura hielt ihre Tasse so weit wie möglich vor ihr Gesicht. Dieses Mal, damit der Aufdringling ihr breites Grinsen nicht sehen konnte.

»Ich … ich muss los«, stotterte Georg, stand auf und rannte aus dem Speisesaal. Sein Frühstück ließ er stehen.

»Entschuldige meine Indiskretion.«

Mit Schwung köpfte Margot ein Frühstücksei. Wo sie das herhatte, wusste der Himmel. Am Büfett hatte es jedenfalls keine Eier gegeben.

»Danke«, sagte Laura. »Ehrlich.«

Margot lächelte. »Wenn du einen Eierwunsch hast ... Die nette Dame in der Küche nimmt ihn gern entgegen.«

6

Margot rührte heftiger in ihrem Kaffee als notwendig. Was bildete sich dieser Hanswurst ein? Sah ein junges Mädchen, das verschüchtert und allein an einem Tisch saß, und dachte gleich, sie wäre leichte Beute. Ekelhaft.

Dann lächelte sie wieder. Es gab keinen Grund, Laura zu beunruhigen. Das arme Mädchen hatte genug um die Ohren. Beim Auschecken würde sie an der Rezeption einen kleinen Hinweis hinterlassen. Falls noch andere junge Frauen allein in der Jugendherberge übernachteten.

»Das Frühstück ist besser, als ich gedacht hätte.«

Margot hatte ein perfektes Drei-Minuten-Ei bekommen, und sie hatte schon wesentlich schlechteren Kaffee getrunken. Meist, wenn Eddie oder Daniel ihr im Haushalt helfen wollten. Muttertage waren geprägt gewesen von ungenießbarem Frühstück.

Laura nickte und nahm noch einen Schluck aus ihrer Tasse. Ihr Käsebrot lag noch unberührt auf dem Teller.

»Hab keinen Hunger«, seufzte sie.

Sie hatte wohl Margots Blick bemerkt.

»Was sind deine Pläne für heute?«

»Matthias und Rom.« Laura überlegte kurz. »Nein, umgekehrt. Erst Rom, dann Matthias.«

»Das ist dein Plan, ihn zurückzubekommen?«

Laura nickte.

»Sehenswürdigkeiten. Ich schicke ihm Fotos. Vielleicht vom Petersdom oder vom Kolosseum. Damit Matthias weiß, wo er mich findet.«

»Vom Petersdom …«, wiederholte Margot sehnsüchtig. »Wie oft hab ich den in meinen Reiseführern bestaunt.«

»Dann werd ich mich mal auf den Weg machen.«

Laura lächelte und stellte ihr Frühstückstablett auf die Durchreiche zur Küche. Margot tat es ihr nach.

Sie brauchten kaum fünf Minuten, um das Zimmer zu räumen. Laura spülte sich schnell den Mund aus, die Zahnbürstenbällchen waren leider im Mülleimer gelandet, und Margot setzte ihren Hut auf. Nachdem sie ihre Rechnungen an der Rezeption beglichen und Margot ein paar Worte über einen gewissen Georg mit Halbglatze gemurmelt hatte, verabschiedeten sie sich auf dem Parkplatz.

»Viel Spaß«, sagte Laura. »Hoffentlich kannst du alles sehen, was in deinen Reiseführern steht.«

»Viel Glück. Und vergiss über Matthias nicht deinen Urlaub. Genieß ihn.«

Laura lächelte, winkte etwas linkisch und machte sich zu Fuß auf den Weg.

Margot schloss ihr Auto auf und sah dem Mädchen nach.

Sie hatten abends um zehn in einer Tankstelle seltsame Zahnbürsten gekauft. Sie hatten einen aufdringlichen Glatzkopf kennengelernt. Sie hatten sich ein Waschbecken geteilt. Solche Sachen verbanden, fand Margot. Sie öffnete die Fahrertür.

»Laura«, rief sie. »Soll ich dich ein Stück mitnehmen?«

Das Mädchen blieb stehen.

»Wohin?«

Margot zuckte mit den Schultern. »In die Toskana vielleicht. Oder nach Rom?«

Laura grinste und kam auf Margot zu.

»Klingt gut.« Sie öffnete die Beifahrertür. »Was hältst du von Sizilien?«

Margot stieg ein und ließ den Motor an. »Auf in die Toskana ... nach Rom ... nach Sizilien ... wohin auch immer.«

7

Laura verstaute ihre Schultasche im Fußraum und machte es sich auf dem Beifahrersitz bequem. Margots Auto schien uralt zu sein, es hatte noch Knöpfe zum Herunterdrücken statt einer Zentralverriegelung und nicht einmal einen CD-Player. Aber es war rot und klein und niedlich.

»Bevor wir uns auf den Weg nach Rom machen, können wir vielleicht an einem Drogeriemarkt halten«, schlug Margot vor.

»Ja. Ein Deo wär nicht schlecht.« Laura zog die Nase kraus. Sie griff sich in die Haare. Und dringender noch ein Shampoo.

Margot lachte und gab Gas. Auf einem Supermarktparkplatz hielt sie an.

»Das wird es auch tun.«

»Warte mal kurz!«

Laura zückte ihr Handy. Matthias hatte sich immer noch nicht gemeldet. Sie war wohl noch nicht rätselhaft genug.

»Ich brauch ein Foto«, erklärte sie, stellte sich neben Margot, hielt ihr Handy vor sich und drückte ab.

Schweigend begutachtete sie das Foto. Zwei Bäuche nebeneinander, diesmal bekleidet. Wunderbar.

Margot sagte nichts. Zu zweit liefen sie durch die Gänge zu den Hygieneprodukten. Margot sah als Erstes nach Wimperntusche und Lippenstift. Laura hatte schon bemerkt, dass sie viel Wert auf ihr Äußeres legte. Immer wieder zupfte sie am Kragen ihres Kleides oder rückte den Hut zurecht. Laura suchte unterdessen nach Zahnbürsten, Zahnpasta und Shampoo. Schließlich entdeckte sie sogar ein paar T-Shirts und legte davon ebenfalls zwei in ihren Korb.

»Reiseführer!«

Margot stürzte auf einen Ständer zu, in dem Bücher verschiedene Länder und Städte anpriesen. Zielsicher fuhr sie mit dem Finger an den Titeln entlang und zog einen dicken Band heraus. Es war ein Italienschmöker. Sie blätterte ihn kurz durch und zeigte Laura eine Seite mit einem Stadtplan.

»Perfekt.«

Sie klemmte sich das riesige Ding unter den Arm und marschierte zur Kasse. Gerade als sie bezahlt hatten, klingelte ein Handy.

»Deins.« Laura deutete auf Margots Handtasche.

»Ich hab doch kein Handy!« Margot zog die Augenbrauen zusammen. »Oder?« Sie öffnete die Handtasche und zog ein monströses schwarzes Mobiltelefon mit riesigen Tasten hervor.

»Was ist das denn?«

Laura musste lachen. Das Handy hörte auf zu klingeln, und Margot ließ es zurück in ihre Tasche fallen.

»Daniel?«, sagte Margot. Es klang wie eine Frage, aber Laura wusste keine Antwort.

Daniel musste Margots Sohn sein. Der, der sie ins Altersheim stecken wollte. Aber wieso wusste Margot nicht, dass sie ein Handy besaß? Laura presste die Lippen zusammen. Entweder war Margot vergesslich und gehörte tatsächlich ins Altersheim. Oder ihr Sohn hatte ihr ein Handy gekauft und es in ihre Handtasche geschmuggelt.

Margot nagte an ihrer Unterlippe und hielt ihre Tasche unsicher in der Hand. Bisher war sie ihr etwas schräg, aber doch gesund und munter erschienen. Laura entschied sich also für die zweite Möglichkeit. Margots Sohn schien noch schlimmer zu sein als ihre Eltern. Bei Eltern gehörte es ja quasi dazu, dass sie nervige Kontrollfreaks waren.

Noch bevor sie den Parkplatz ganz überquert hatten, begann das Handy erneut zu läuten. Margot sah Laura an. Wollte sie jetzt etwa Tipps, wie sie mit ihrem Sohn fertigwurde?

Margot seufzte und holte das klingelnde Ungetüm hervor.

»Margot Winterhut, ja bitte?«, sagte sie höflich.

Laura konnte die Antwort hören.

»Mama!«, schrie es aus der Leitung. »Wir haben uns Sorgen gemacht!«

Wer war »wir«?

»Wo bist du?«, ging es weiter.

Margots Sohn war entweder schwerhörig, oder er vermutete, seine greise Mutter war taub.

»Im Urlaub«, antwortete Margot.

Sie klang unglücklich. Offenbar hatte Laura nicht danebengelegen. Margot lief auch vor etwas davon. Oder besser gesagt vor jemandem.

Die nächsten Sätze konnte Laura dann nicht mehr verstehen, offenbar versuchte Daniel sich zusammenzureißen, ruhig zu bleiben und leise zu sprechen.

Margot ließ das Handy sinken und starrte es an.

»Leg auf«, schlug Laura vor.

»Ich …«, fing Margot an.

Sie hob das Handy an ihr Ohr und zuckte entschuldigend mit den Schultern. Ob das Laura galt oder ihrem Sohn, war nicht klar.

»Mach dir keine Sorgen, ich bin bald zurück«, sagte Margot.

Ihr Sohn brüllte schließlich wieder los. »Was ist denn in dich gefahren? Komm sofort zurück!«

Laura fand, dass es an der Zeit war einzugreifen. Sie nahm Margot das Handy aus der Hand, drückte auf den roten Hörer und danach lange auf den Aus-Schalter. Auch wenn es mit Matthias bisher nicht so gut geklappt hatte, mit Handys kannte sie sich aus.

Schweigend stiegen sie ins Auto. Margot schaltete das Radio ein, und Laura sah, wie ihre Hand zitterte. Ein Schlager von Eros Ramazotti tönte ihnen entgegen.

Laura musste lächeln. »Na, wenn das kein Zeichen ist.«

Margot drehte sich zu Laura um. »Eine Woche.« Sie sah Laura in die Augen. »Eine Woche frage ich dich nicht nach deinen Eltern. Eine Woche fragst du mich nicht nach Daniel.«

Oh, das war Laura nur recht. Sie nickte.

»Eine Woche«, wiederholte Margot, atmete tief durch und startete den Wagen, »dann sehen wir weiter.«

Laura legte eine Hand auf ihren Bauch. Gnadenfrist. In einer Woche konnte viel passieren. In einer Woche musste viel passieren.

8

Margot schüttelte den Kopf. Daniel wollte sie in ein Altersheim stecken. Daniel traute ihr nicht zu, allein Entscheidungen zu treffen. Daniel überwachte sie. Wie sollte sie es sonst nennen? Er hatte ein Handy gekauft – auch noch eins für Menschen mit Sehbehinderung, obwohl ihre Augen hervorragend waren, herzlichen Dank – und es in ihre Tasche geschmuggelt. Offenbar wollte er sie ständig anrufen können, wenn sie sich seiner Kontrolle entzog.

»Unverschämtheit«, schnaubte sie.

Ihr Sohn war unmöglich! Das hätte sie ihm sagen sollen. Daniel, du bist unmöglich! oder Daniel, das ist eine Unverschämtheit! Genau das hätte sie sagen sollen. Margot schürzte die Lippen und griff das Lenkrad etwas fester. Das nächste Mal, wenn Daniel anrief, dann würde sie so etwas sagen. Und sie würde hinzufügen, dass sie noch lange nicht ins Altersheim musste. Jawohl. Sie drehte die Musik lauter.

Volare, oh, oh tönte es aus dem Radio, die Sonne schien zum Seitenfenster herein, die Straße lag vor ihnen, und Margots schlechte Laune war wie weggeblasen. *Volare.* Ja, so musste sich fliegen anfühlen.

»Ich werde Italien sehen, und ich werde Spaß haben, und Daniel wird mich nicht daran hindern!«

Laura grinste. »Ein Foto haben wir ja schon. Du kannst dich vor jeder Sehenswürdigkeit verewigen. Ich leih dir gern mein Handy.«

»Vor jeder Sehenswürdigkeit? Ha!« Margot schnaubte. »Auf jeder Sehenswürdigkeit werde ich mich verewigen. Es wird Beweise geben für Daniel und den Rest der Welt.« Sie dachte einen Augenblick nach. Im Handschuhfach war ein Fläschchen Nagellack. Damit ließ sich bestimmt etwas anfangen. »Italien wird mich nicht vergessen!« Es klang beinahe wie eine Drohung.

Sie setzte den Blinker, schlug die Richtung ein, die sie für Süden hielt, und suchte nach Straßenschildern.

»Kannst du Karten lesen?«, fragte sie Laura. »Im Seitenfach sollte ein Europaatlas sein.« Darauf hatte Eddie immer geachtet.

»Ich soll uns den Weg suchen?« Laura klang verunsichert. »Hast du kein Navi?«

Margot schürzte die Lippen. Was hatte Eddie noch immer gesagt? Rausgeschmissenes Geld seien diese neumodischen Navigationsgeräte. Er hatte nur die Nase gerümpft und sich lustig gemacht über Leute, die ihren Weg nicht mehr ohne Elektronik fanden.

Margot seufzte.

»Meinst du, wir können so was im Supermarkt kaufen?«

Laura lachte und schüttelte den Kopf.

»Mist, ich kann nämlich auch keine Karten lesen.«

»Wie hast du dann hierhergefunden?«, wollte Laura wissen.

»Ach, immer nach Süden, und irgendwann stand Innsbruck auf einem Schild.«

Für einen Augenblick sagte Laura nichts, dann deutete sie mit der Hand nach vorn und rief: »So machen wir's auch! Dort drüben ist eine große Straße. Wir fahren einfach den Schildern nach.«

Margot fuhr langsamer und kniff die Augen zusammen.

»Lienz, Salzburg. Das ist nicht sehr hilfreich.«

Sie passierten eine Tankstelle. Etwa zwanzig Meter dahinter stand eine Frau in einem blau geblümten Kleid am Straßenrand. Sie war relativ groß mit breiten Schultern, das Kleid wirkte seltsam fehl am Platz. In der Hand hielt sie einen Aktenkoffer. Einen Arm hatte sie ausgestreckt, der Daumen zeigte nach oben.

Margot wurde noch langsamer. »Sollen wir …?«, fragte sie, während sie an der Frau vorbeifuhren.

Laura zögerte kurz, dann nickte sie. »Zumindest wird sie wissen, wo's hier hingeht. Sie will schließlich in die Richtung.«

Das war ein schlagendes Argument.

Margot bremste und setzte den Wagen zurück. Laura kurbelte das Fenster herunter.

»Sie wollen mit?«, rief Margot.

Die Frau nickte. Aus der Nähe konnte Margot beginnende Fältchen um Mund und Augen erkennen, sie schätzte die Frau auf Mitte dreißig. Ihre dunklen Haare waren zwar auf Schulterlänge geschnitten, standen aber wild vom Kopf ab. Eine Kurpackung oder zumindest eine Bürste würde ihnen guttun, dachte Margot abwesend, bevor sie das blaue Auge der Frau registrierte. Schnell blickte sie zur Seite.

»Sabine«, sagte die Frau, öffnete die Tür und setzte sich hinter Laura. Ihren Aktenkoffer legte sie neben sich.

»Wo soll's denn hingehen?«, fragte Laura nach kurzem Zögern.

Das blaue Auge hatte sie offenbar auch aus dem Konzept gebracht.

Sabine machte eine gleichgültige Bewegung nach vorn. »Die Richtung«, sagte sie.

»Jaaaa.« Margot zog das Wort in die Länge. »Nur, wo geht es dort hin?«

Das entlockte Sabine ein Glucksen. »Na, Italien!«

»Was denn sonst?« Laura grinste.

Margot gab Gas.

9

Laura musste sich etwas drehen, um mit Sabine sprechen zu können. Sonst hatte sie nur deren Atem im Nacken, was ein komisches Gefühl war.

»Kommst du aus Innsbruck?«, fragte Laura.

Sabine machte eine Bewegung mit ihren Schultern, die Ja oder auch Nein heißen konnte.

»Wir wollen nach Rom«, erklärte Margot.

Sabine nickte. »Rom ist schön. Vor zwei Jahren war ich mal da.« Sie klappte die Schlösser ihres Aktenkoffers auf, dann wieder zu. Klack. Klack.

»Wir haben Urlaub«, erzählte Margot weiter. »Wir sind frei wie die Vögel.« Sie wirkte äußerst zufrieden mit ihrem Satz. »Wir wollen ganz Italien sehen. Vielleicht machen wir auch einen Zwischenstopp vor Rom.«

»Wo sollen wir dich denn rauslassen?«, fragte Laura.

»Vielleicht …«, begann Sabine. Klack. Klack. Sie beendete ihren Satz nicht.

Margot drehte sich halb um. »Auch frei wie ein Vogel?«

Sabine murmelte etwas, das Laura nicht verstehen konnte.

»Wir sehen einfach, ob es dir bei unserem nächsten Halt gefällt«, schlug Margot vor.

Sabine nickte und lächelte sogar ein wenig. Dann hörte man wieder das Klack, Klack ihres Aktenkoffers.

Laura fand Sabine ein wenig seltsam. Wer fuhr schon per Anhalter nach Italien? Mit einem Aktenkoffer? Dann fiel ihr Blick auf ihre Schultasche. Sie schob sie mit dem Fuß weiter nach hinten. Sie war wohl nicht die Richtige, anderen Leuten vorzuschreiben, wie sie zu reisen hatten.

Margot stellte das Radio wieder lauter, und die nächste Stunde hingen die Frauen ihren Gedanken nach.

Von Zeit zu Zeit versicherte Margot sich bei Sabine, ob sie noch auf dem richtigen Weg waren, ansonsten herrschte Schweigen. Erst jetzt merkte Laura, wie müde sie war. Die fast schlaflose Nacht machte sich bemerkbar, und bald war sie eingenickt.

Sie wurde von einem Ruck wach, der sie durchschüttelte. Margot hatte im allerletzten Moment gebremst, um nicht auf das letzte Auto des Staus vor ihnen aufzufahren.

»Eine kleine Pause kommt mir gerade recht«, rief sie und angelte unter ihrem Sitz nach einer Flasche Wasser.

Margot war wirklich die Fröhlichkeit in Person. Jetzt saß sie schon zwei Stunden hinter dem Steuer, und nicht einmal ein Stau in der prallen Sonne konnte ihr die Laune verderben.

Laura war nicht ganz so fröhlich. Es war heiß, sie schwitzte, im Radio lief ein italienisches Liebeslied, und sie dachte an Matthias. Ob er jetzt wohl gerade seine neue Freundin küsste? Oder klickte er sich durch Lauras Nachrichten? Hatte er schon herausgefunden, was sie ihm sagen wollte? Sie kontrollierte ihr Handy, aber außer einer Nachricht von Sina – *Mädel, wo bist du? Der Meier ist sauer wegen deinem Referat!* – hatte sie nichts empfangen. Sie spürte einen Stich und wandte sich zum Fenster. Vielleicht konnte sie zur Ablenkung mit Sabine ein Gespräch anfangen.

Klack. Klack.

Besser nicht.

Sie sah sich um. Hinter ihnen stauten sich die Autos.

»Da geht's nach Verona«, bemerkte Margot.

»Die Stadt der Liebe!« Laura war auf einmal hellwach. Romeo und Julia! Vielleicht war das ein Zeichen für Matthias und sie? Sie drehte sich zu Sabine um. »Was hältst du von Verona?«

Sabine zuckte mit den Schultern.

»Prima.« Margot strahlte. »Da haben wir ja unseren ersten Zwischenstopp.«

Sie drehte sich um und sah nach links und rechts.

»Seht ihr hier irgendwo Polizei?«, fragte sie. Auf Lauras Kopfschütteln hin scherte sie aus und fuhr auf dem Standstreifen bis zur nächsten Ausfahrt.

»Du hast ja einen Fahrstil!« Laura rollte die Augen.

»Mein Auto ist rot«, erklärte Margot.

»Was hat das mit deinem Fahrstil zu tun?«

»Man kann mich wunderbar schon von Weitem erkennen. Da bleibt jedem genug Zeit auszuweichen.«

Laura grinste. Sie versuchte, Sabines Blick im Rückspiegel einzufangen, aber die fixierte ihren Aktenkoffer. Seltsame Frau.

»Wir sind fast da«, verkündete Margot.

Tatsächlich. Der Stadtverkehr wurde dichter, schließlich wurden die Straßen enger, das Grün wich hohen sandfarbenen Häusern mit roten Dächern.

»Verona!«

Aufgeregt rutschte Laura auf ihrem Sitz hin und her. Sie fühlte sich Julia gerade sehr nah. Wenn man davon absah, dass Romeo ihr nicht eines Tages gesagt hatte: Schatz, ich hab mich in Rosa aus der Parallelklasse verliebt. Dafür war er gestorben und Julia auch, und überhaupt hatte die ganze Sache ein äußerst unerfreuliches Ende gehabt. Das würde bei ihr anders sein. Laura würde es richtig machen, es gab keinen Grund zum Sterben.

Margot schlängelte sich geschickt durch den italienischen Verkehr.

»Hier!« Sie warf Laura ihren dicken Reiseführer

in den Schoß. »Guck mal, in welcher Richtung das Zentrum liegt.«

»Ich kann doch keine Karten lesen«, jammerte Laura, schlug das dicke Buch aber trotzdem auf.

»Links.« Sabine deutete auf ein Schild vor ihnen. »*Centro*. Das ist das Zentrum.«

»Na, bitte.« Laura atmete auf. Ohne Sabines Hilfe hätten sie sich sicher heillos verfahren. »Es kann nicht mehr weit sein. Endlich Italien!«

Die Hinweisschilder zu den Sehenswürdigkeiten nahmen zu, und es wimmelte nur so vor Touristen. Am Straßenrand war tatsächlich ein Parkplatz frei, und Margot fuhr schwungvoll in die Lücke.

Sie schnallten sich ab und stiegen aus.

»Ich muss unbedingt Julias Balkon sehen!«

Während Margot in endloser Ruhe ihren Reiseführer durchsuchte, trat Laura von einem Bein aufs andere und führte einen kleinen Tanz auf. Sie wusste nicht recht, was sie zu Sabine sagen sollte, aber verabschieden musste sie sich irgendwie. Oder? Unsicher sah sie Margot an.

Doch Sabine schlug die Autotür zu, drehte sich um und rief ihnen schon im Gehen ein knappes »Danke!« zu. Dann wanderte sie ohne ein weiteres Wort die Straße hinunter.

Margot sah ihr nach. »Seltsame Frau, nicht?«

Laura nickte.

»Und nun?«

»Machen wir uns auf die Suche.«

Die Straße hinunter konnte sie einen Torbogen erkennen. Der führte garantiert zum Haus der Julia. Wenn Laura die Augen zusammenkniff, sah sie, dass die sandfarbenen Häuser dort dichter beieinanderstanden, andere helle Farben wie Orange und Gelb mischten sich hinein. Eine Fußgängerzone?

Margot folgte ihr. Es war tatsächlich eine kleine Fußgängerzone, das Pflaster unter ihren Füßen war holprig und abgewetzt. CASA DI GIULIETTA stand auf einem Schild. Sie waren also richtig.

Das Haus selbst lag nicht an der Straße, sondern in einem Hinterhof, der durch eine Art Tunnel zu erreichen war. Da jedoch Unmengen von Touristen hinein- und hinausströmten, war der Eingang nicht zu übersehen. Der Tunnel selbst war zugeklebt mit kleinen Zettelchen – Initialen, Gedichte oder Herzchen waren darauf, ja sogar an die Wand selbst geschrieben und gemalt.

»Hier hinterlässt ja jeder seine Botschaft. Wie einfallslos!« Es klang vorwurfsvoll.

Laura zuckte mit den Schultern. »Ist halt eine berühmte Sehenswürdigkeit.«

Margot schlug ihren Reiseführer auf. »Und eine berühmte Liebesgeschichte. Hier zu unterschreiben soll Glück bringen.« Margot kramte einen Stift hervor und drückte ihn Laura in die Hand. »Hier, für dich und Matthias.«

»Wir sind kein Liebespaar mehr.« Auch wenn es keinen Spaß machte, das laut zu sagen. Sprach sie es aus, klang es so real.

»Es wird euch Glück bringen, wieder ein Liebespaar zu werden.«

Zögernd malte Laura ein M und ein L an die raue Tunnelwand. Sie war dunkel und so voller anderer Zeichnungen und Schriftzüge, dass man ihre Initialen kaum erkennen konnte. Margot griff nach dem Stift und malte ein Herzchen darum herum. Auf Lauras fragenden Blick erklärte sie: »Das muss sein. Wie bei einem Zauberspruch, da gehört auch ein Abrakadabra dahinter.«

»Wenn du meinst.«

Laura fotografierte Margots Kunstwerk und speicherte es für später. Ein kleines bisschen Liebesmagie konnte nicht schaden. Und waren Zauber nicht auch geheimnisvoll?

Sie traten aus der Dunkelheit des Tunnels in den hellen Innenhof, der im Vergleich zur Fußgängerzone fast menschenleer war. Ja, hier wurde es romantisch! Efeuüberrankte Mauern, ein Haus mit Backsteinfassade und Spitzbogentür und -fenstern, der berühmte steinerne Balkon der Julia war ebenfalls mit Bögen verziert.

»Den hätte ich mir größer und höher vorgestellt.« Laura kniff wieder die Augen zusammen.

»Stell dir vor, der arme Romeo hätte drei Stockwerke hinauf- und hinunterklettern müssen. Der hätte sich womöglich alle Knochen gebrochen.« Wie immer dachte Margot praktisch.

Eine Reisegruppe marschierte an ihnen vorbei direkt ins Innere des Hauses. Laura interessierte sich mehr für die Statue aus Bronze, die neben einem Bäumchen vor dem Haus stand. Julia. `

Margot legte den Kopf schräg. »Sehr sittsam, das junge Mädchen.«

Die Frauengestalt hielt den linken Arm an die Brust, mit dem rechten hielt sie den Saum ihres Kleides. Sie wirkte schüchtern. Ihr Kopf war fast schwarz, der Oberkörper glänzte golden, vermutlich weil Touristen ihn ständig anfassten.

Es war Zeit für den nächsten Schnappschuss. »Ob Matthias wohl errät, wer das ist?«

Margot überlegte einen Moment. »Ich weiß es nicht«, sagte sie dann. »Aber hier könnte ich mich verewigen.«

»Ich glaube, das ist nicht erlaubt.« Laura trat ein paar Schritte von der Statue weg.

»Und ich glaube, das ist der Punkt«, entgegnete Margot. Sie zog ein Fläschchen Nagellack aus ihrer Handtasche. »Ich dachte an eine Banane. Kennst du diesen Graffitikünstler? Er malt überall Bananen hin.«

»Dein Nagellack ist rot.« Laura löste die Handykamera aus, speicherte und sah sich das Foto an.

»Blätter, Bronze und ein Faltenkleid. Ist der Bauch zu erkennen?« Sie hielt Margot ihr Handy hin.

Die Ältere hielt es ein Stück von sich entfernt. »Vielleicht kannst du einen Pfeil an den Bauch machen.«

»Hm.«

Laura hatte ihren PC natürlich nicht dabei. Mit Photoshop wäre es kein Problem gewesen, nicht einmal mit Microsoft Paint. Aber mit dem Handy? Dann musste Matthias eben ein bisschen mehr raten.

»Ich denke, es wird eine Tomate«, sagte Margot. »Tomaten sind rot.«

Sie kniete sich hin und tupfte mit dem Pinsel den roten Lack auf den Sockel. Eine japanische Touristin kam neugierig näher. Schnell knipste Laura ihren Bauch mit dem riesigen Fotoapparat davor.

10

»Zeig mir noch mal das Foto von der Tomate«, bat Margot. Sie saßen auf einer Bank in der Altstadt, und genossen den Trubel um sie herum.

Die rote Tomate war ausgezeichnet zu erkennen. Margot fühlte sich wie eine Graffitikünstlerin. Nur Laura hatte etwas an ihrer Kunst auszusetzen.

»Das Grün oben fehlt. So sieht es aus wie ein roter Ball. Ein Ei eher, du hast gewackelt.«

»Du hast beim Fotografieren gewackelt«, gab Margot zurück.

Aller Anfang war schwer. Ihre erste Tomate. Die zweite würde besser werden. Ganz rund mit einer kleinen Einbuchtung oben. Für das Grün.

Laura brummte nur. Margot war sich fast sicher, dass ihre schlechte Laune daher kam, dass sie ständig auf ihr Handy blickte. Matthias hieß der junge Mann, der sich offenbar nicht meldete. Margot lehnte sich zurück und betrachtete die Menschen, die an ihnen vorüberschlenderten. Einige schleckten Eis aus riesigen Eiswaffeln, andere hasteten mit ihren Aktenkoffern vorbei.

»Ich könnte grünen Nagellack kaufen«, schlug Margot vor. »Dann könnte ich ganze Tomatenstauden malen.«

»Pass bloß auf, dass du nicht erwischt wirst.« Margot winkte ab.

»Bei Graffitis kommt die Polizei. Bei uns war mal einer auf der Schule, den haben sie mitgenommen.« Laura zog die Augenbrauen zusammen. »Wenn wir wegen deiner Anwandlungen Ärger bekommen …«

»Dann was?« Interessiert blickte Margot Laura an. »Warum machst du dir Sorgen darum, ob ich Ärger mit der Polizei bekomme?«

»Ich hab halt keinen Bock auf die.« Laura trat mit dem Fuß gegen die Bank.

»Könntest du Probleme bekommen, wenn die Polizei auf dich aufmerksam wird? Bist du also doch weggelaufen?«

Laura antwortete nicht. Aber so leicht gab Margot nicht auf. Da war noch etwas, das ihr seltsam vorkam. Sie hatte ihr kein einziges Mal angeboten, sich beim Fahren abzuwechseln. Dabei waren junge Leute doch ganz heiß darauf.

»Du hast keinen Führerschein, oder?«, fragte sie.

Laura öffnete den Mund und schloss ihn wieder. »Kein Geld«, sagte sie schließlich. »Meine Eltern haben eben nicht so viel Geld. Aber was rede ich eigentlich mit dir darüber? Du fliehst vor dem Altersheim, Oma.«

Laura stand auf und warf sich ihre Tasche über die Schulter. Sie hatte ihre Lippen fest zusammengepresst, den Unterkiefer vorgeschoben.

Margot zuckte zurück. Oma. Ja, das war sie wohl. Einen Augenblick sah sie Laura einfach nur an. »Ich wollte nicht neugierig sein«, sagte sie schließlich. »Du hast recht. Ich bin … ich sollte …«

Sie stand ebenfalls auf und fuhr sich mit der Hand durch die Haare. Auf was für eine dumme Idee war sie da eigentlich gekommen?

»Es tut mir leid.« Laura setzte sich wieder auf die Bank und zog an Margots Arm. »Ich brauche einen Kaffee. Oder ein Eis. Ich bin nicht so gut drauf.« Laura senkte den Kopf.

Margot ließ sich zurück auf die Bank fallen. »Matthias?«

»Wer sonst …«

Margot nickte. Ob sie Laura einen Rat geben konnte? Sie war doch nur eine Oma. Und außerdem war sie fast hundert Jahre verheiratet gewesen. Sie wusste nicht einmal mehr, wie sich Verliebtsein anfühlte.

Laura sah sie nun an. »Du bist eine tolle Reisebegleitung«, sagte sie. »Und gar nicht alt.« Sie grinste. »Wirklich, du bist ganz schön cool.«

»Meine Füße tun weh. Nein, nein, Daniel hat recht, ich bin alt.« Sie seufzte.

»Ach was!«

Sie schien ein schlechtes Gewissen zu haben, Margot konnte ihr tatsächlich nicht länger böse sein.

»Im Altersheim haben sie sicher Krücken für Leute wie mich. Oder einen Rollstuhl.«

»Du könntest dir einen Turbogang einbauen lassen, das würde einige Probleme lösen.« Laura lachte. Dann deutete sie auf Margots Pumps. »Aber in solchen Dingern würden mir auch die Füße wehtun.«

Margot sah sich Lauras Schuhe an. Turnschuhe mit weißer Kappe, jugendliche Schuhe.

»Es ist warm für die Jahreszeit«, sagte Laura und lehnte sich zurück. Die Sonne schien, und es waren über zwanzig Grad. In Deutschland regnete es vermutlich. »Du solltest dir Sandalen kaufen. Am besten Flip-Flops. Die sind bequem.«

»Flip-Flops?«

Davon hatte Margot einmal in einer Frauenzeitschrift gelesen. Sie hatte trotzdem kein Bild vor Augen.

»Das tragen alle jungen Leute heute.« Laura grinste.

Sie steuerten den nächsten Schuhladen an. Flip-Flops also. Margot fand das Gefühl von Stoff zwischen den Zehen zwar seltsam, aber Laura hatte nicht übertrieben, sie waren bequem. Sie liefen durch die Stadt, beide mit einem Eis in der Hand, das Margot den neuen Flip-Flops zu Ehren ausgegeben hatte.

»Meinen Füßen geht es fantastisch«, sagte Margot.

»Du zeigst deinem Sohn, was alt ist! Über siebzig und fit wie ein Turnschuh.« Laura grinste.

»Fit wie ein Flip-Flop.«

»Warte kurz!« Laura drückte Margot ihr Eis in die Hand und verschwand in einer Drogerie. Keine zwei Minuten später kam sie mit einem Fläschchen in der Hand wieder heraus. »Grün.« Sie nahm ihr Eis an sich und reichte Margot den Nagellack.

Margot strahlte. »Ich verspreche dir, mich nicht erwischen zu lassen.«

»Und wie geht's jetzt weiter? Wo fahren wir hin?«, fragte Laura. »Wie wär's mit der Toskana?«, schlug sie dann vor.

»Ich wollte immer schon mal nach Florenz!«, schwärmte Margot. Sie machten sich auf den Rückweg zum Auto, das sie glücklicherweise nicht weit weg abgestellt hatten. Ein Hoch auf Innenstadtparkplätze, dachte Margot. Trotz der Flip-Flops freute sie sich darauf, für ein paar Augenblicke zu sitzen. Sie schloss die Autotür auf, wobei ihr Blick auf den Rücksitz fiel. »Sabines Koffer!«

Laura beugte sich vor. »Wieso hat sie den nicht mitgenommen? Ich dachte, sie wollte hier in Verona bleiben.«

»Offenbar will sie weiter mitfahren.«

Laura verzog den Mund. »Na, super. Wer weiß, wann sie kommt.«

Margot öffnete alle Türen, damit die heiße Luft entweichen konnte.

»Und jetzt?«, fragte Laura.

»Wir werden wohl auf sie warten müssen.«

Margot lehnte sich an die Motorhaube und bewunderte ihre Zehen in den Flip-Flops. Die sollte sie auch lackieren, grün und rot.

»Die war schon ein bisschen seltsam, fandest du nicht?« Laura zog die Nase kraus. »Können wir den Koffer nicht einfach hierlassen?« Sie beäugte ihn misstrauisch. »Was ist da überhaupt drin?«

»Das geht uns nichts an.«

»Wir können ihn ins Fundbüro bringen … Oder wir stellen ihn einfach hier ab. Dann können wir ohne Sabine weiterfahren. Und zwar jetzt.«

Sie griff nach dem Aktenkoffer, gerade als Margot sich ebenfalls vorbeugte. Sie stießen zusammen, Laura fasste sich an die Stirn, der Koffer rutschte von der Rückbank, fiel klappernd herunter, und sein Inhalt verteilte sich auf der Straße.

»Den bringen wir definitiv nicht zum Fundbüro«, war Margots Meinung, als sie sich wieder gefasst hatte.

Laura stand immer noch mit offenem Mund vor dem Auto und sah mit großen Augen die Geldscheine an, die zu ihren Füßen verstreut herumlagen.

»Ach du Scheiße.«

Das konnte sie wirklich laut sagen.

11

Sabine trottete die Straße hinunter und dachte nach. Sie hatte Glück gehabt mit Margot und Laura. Die beiden Frauen waren die perfekte Wahl als Mitreisende gewesen, eine alte Dame und ein junges Mädchen. In dieser Begleitung würde sie nie gefunden werden. Ob die beiden tatsächlich Großmutter und Enkelin waren? Laura hatte das behauptet, aber Sabine nahm es ihr nicht ganz ab. Laura müsste doch noch zur Schule, bis zu den Osterferien dauerte es noch, oder? Welche Großmutter wäre so verantwortungslos? Aber so oder so war der Koffer zunächst gut bei den beiden Frauen aufgehoben. Wer oder was sie auch waren, eines waren sie bestimmt nicht: kriminell.

Sabine tastete nach ihrem Auge. Die Schwellung war schon zurückgegangen, es schmerzte nur noch wenig. Das Wichtigste war jetzt, alle Spuren zu beseitigen. Alle Verbindungen zu kappen, damit niemand zurückverfolgen konnte, wo sie herkam. Und was sie getan hatte. Sie musste untertauchen. Ihr Name war ein Problem. Sabine. Weshalb hatte sie auch kein Pseudonym gewählt? Da hatte sie wirklich nicht nachgedacht. Sie musste einen kühlen Kopf bewahren und ab jetzt besser aufpassen.

Ein kleines Kind deutete mit dem Finger auf sie und rief seiner Mutter etwas zu. Die zog ihr Kind weiter. Großartig, jetzt verschreckte sie schon die Menschen! Sabine drehte sich um, aber sonst schien niemand auf sie zu achten.

Sie schlenderte über den großen Platz vor der Arena von Verona. Es gab so viel anderes zu sehen: die Arena selbst, die vielen Cafés mit ihren bunten Schirmen und den Eisständen am Eingang, die unzähligen Touristen. Man musste aufpassen, nicht überfahren zu werden. Die Straßen führten genau am Amphitheater vorbei.

Für den Augenblick beruhigte Sabine sich, sie verschwand in der Menge.

Es war wohl am besten, wenn sie bei Margot und Laura blieb. Die beiden gaben ihr Schutz, würden keinen Verdacht erregen. Aber bevor sie zu ihnen zurückkehrte, musste sie noch etwas tun. Sie sah sich verstohlen um, obwohl das albern war. Hatte sie nicht gerade festgestellt, dass niemand sie beachtete? Trotzdem suchte sie sich einen schattigen Winkel, wo sie nicht auffiel, zog ihr Handy aus der Seitentasche ihres Kleides und gab eine Nummer ein. Niemand hob ab, ein Anrufbeantworter schaltete sich an. Sie wartete den Pfeifton ab, dann räusperte sie sich und hielt die linke Hand vor Handy und Mund.

»Ich bin's, Sabine. Wag es ja nicht, die Polizei zu rufen. Denk erst gar nicht dran.« Sie atmete tief durch. »Ich habe Beweise. Schick mir die Bullen auf den Hals, und du gehst mit unter, mein Freund.«

Sie beendete die Verbindung und schnappte nach Luft. Sie hatte das Gefühl zu ersticken. Einen Moment sah sie das Handy an. Sie steckte es nicht zurück in ihre Tasche, hielt es lieber weiter in der Hand. Jetzt konnte sie zu Margot, Laura und dem Schutz, den sie ihr boten, zurück. Sie musste nur noch schnell zum Fluss und das blöde Telefon loswerden.

12

Laura saß auf dem Beifahrersitz, den verschlossenen Aktenkoffer auf dem Schoß. Sie trommelte mit den Fingern einen Rhythmus auf den Deckel. Ihr erster Eindruck war also richtig gewesen. Sabine war seltsam. Mehr als seltsam.

Margot lachte nervös. »Geld.« Sie konnte es immer noch nicht glauben. »Und verdammt viel davon.«

Sie umklammerte das Lenkrad, obwohl sie immer noch auf dem Parkplatz standen, und sah etwas blass aus. Sie hatten alle Türen verschlossen und die Knöpfe heruntergedrückt, Margot hatte sogar darauf bestanden, die Fenster wieder hochzukurbeln. Nun hockten sie da und schwitzten. Laura konnte kaum einen klaren Gedanken fassen.

»Das müssen Tausende von Euro sein! Wenn nicht noch mehr!« Laura ließ den Koffer aufschnappen. Viele braune Geldscheine ... und grüne. Schnell klappte sie ihn zu. »Woher hat sie so viel Geld?«

»Es gibt bestimmt eine ganz logische Erklärung.« Margot vermied es, Laura anzusehen.

Ha, daran glaubte sie doch selbst nicht!

»Bestimmt.« Laura lag subtiler Sarkasmus eigentlich nicht, nun triefte ihre Stimme jedoch nur so vor Ironie. »Vielleicht hat sie es gefunden.«

»Sie könnte es geerbt haben.«

»Das würde auch das blaue Auge erklären. Ihr Großvater hat sich beim Sterben noch ein bisschen gewehrt.«

Schon wieder dieser Sarkasmus. Sabine brachte ungeahnte Fähigkeiten in ihr hervor.

»Du liebe Zeit, Laura!« Margot rückte ihre Perlenkette zurecht und sah aus dem Fenster, dann zu Laura. Sie flüsterte fast, als sie fortfuhr: »Weshalb hat sie das Geld wohl bei uns gelassen?«

Hatte Sabine einen Plan? Kriminell war sie offenbar.

Laura fühlte sich gar nicht wohl bei dem Gedanken. Sie wischte sich den Schweiß von der Stirn.

»So geht das nicht, Margot! Wir müssen die Türen wieder öffnen oder zumindest die Fenster runterkurbeln. Wie soll ich in der Affenhitze vernünftig nachdenken?«

Margot zögerte, aber die Touristen, die draußen herumliefen, die Vespas, die sich durch den Verkehr schlängelten, beruhigten Margot offenbar. Hier gab es viele Leute, hier würde ihnen nichts passieren. Margot kurbelte ihr Fenster einen Spalt herunter, Laura öffnete die Beifahrertür.

»Das tut gut.« Sie seufzte auf. Das Denken klappte

gleich besser. »Nicht, dass Sabine uns etwas anhängen will. Oder Streit sucht.« Sie war gut und gern zwanzig Kilo schwerer als Laura. Und dreißig als Margot. »Ich will nicht, dass wir sie weiter mitnehmen.«

Margot nickte. »Wer weiß, was sie noch vorhat.«

»Wer weiß, was sie sonst noch dabeihat. Eine Waffe?«

»Hör auf, mir wird schlecht«, jammerte Margot und fächerte sich mit dem Reiseführer Luft zu.

»Also gut, was machen wir?«

Laura warf den Koffer auf den Rücksitz. Wie wurden sie jemanden los, den sie nicht dabeihaben wollten? Wenn das keine Ironie des Schicksals ist, dachte sie bitter und legte eine Hand auf ihren Bauch. Sie sah aus dem Fenster. Eine Mutter mit Kinderwagen und zwei schreienden Kleinkindern hastete vorbei. Schnell wandte Laura ihren Blick zur anderen Seite. Ein hagerer Mann in einem grauen Trenchcoat, Laura schätzte ihn um die vierzig, stand an einen Laternenpfahl gelehnt.

»Wir lassen den blöden Koffer einfach hier.« Sie stieg aus dem Auto, öffnete die hintere Tür, griff nach dem Koffer und versuchte dann, so unauffällig wie möglich auszusehen.

»Was machst du denn?«, zischte Margot durch ihren Fensterspalt. Nicht einmal jetzt traute sie sich, die Tür zu öffnen.

»Unser Problem lösen«, zischte Laura zurück.

»*Scusi!*« Jemand quetschte sich an ihr vorbei zu dem Auto, das neben ihnen parkte.

Laura lächelte. »Ich wollte gerade einsteigen«, sagte sie gespielt fröhlich, obwohl der Mann vermutlich kein Wort Deutsch verstand. Immer noch lächelnd setzte sie sich zurück auf den Beifahrersitz und zog die Tür zu.

»Du willst den Koffer einfach irgendwo abstellen?« Margot klang entsetzt.

»Hast du eine bessere Idee?«

Als das Nachbarauto davongefahren war, stieg Laura wieder aus. Der Hagere am Laternenpfahl blickte verstohlen in ihre Richtung. Zwei Frauen, die bei den hohen Parkgebühren um ihr Auto herumtanzten, fielen vermutlich auf. So beiläufig wie möglich stellte sie den Koffer am Rand des Bürgersteigs ab. Der Mann zeigte nun offenes Interesse an ihrem Treiben. Schnell sprang sie zurück ins Auto, schlug die Tür zu und schnallte sich an.

»Gib Gas!«

Margot ließ den Motor an und legte den Rückwärtsgang ein, als es an Lauras Fenster klopfte. Eine junge Frau hielt den Koffer in die Höhe.

»Sie haben etwas vergessen«, sagte sie mit leichtem Akzent und strahlte.

Laura stöhnte, setzte aber tapfer ein Lächeln auf, öffnete das Fenster und nahm den Koffer entgegen.

Sie nickte der Frau zu. Was mussten ausgerechnet heute die Leute auch aufmerksam und hilfsbereit sein! So wurde das nie was. »Park einfach aus, dann schmeiß ich den Koffer aus dem fahrenden Auto«, sagte sie zu Margot.

Der hagere Mann im grauen Trench drehte sich abrupt um und verschwand hinter einem parkenden Kleinlaster. Laura stutzte, wurde aber von Margot abgelenkt, die ihr den Ellenbogen in die Rippen stieß.

»Da ist sie!«

Sabine kam die Straße hinuntergelaufen, unter dem Arm hielt sie einen Regenschirm. Anscheinend hatte sie in ihrem Kleid ebenfalls Geld versteckt. Oder sie hatte den Regenschirm gestohlen. Was angesichts des Koffers auch keine Überraschung gewesen wäre.

»Kein Sterbenswörtchen über das Geld! Wir wissen von nichts«, flüsterte Margot.

Als ob Laura freiwillig über den Aktenkoffer geredet hätte. Mit der komischen Sabine! Wer wusste denn schon, wer danach ein blaues Auge besaß. Oder Schlimmeres.

»Wir sagen ihr einfach, dass wir heute in Verona übernachten. Deshalb können wir sie nicht mitnehmen«, flüsterte Laura.

Margot nickte hastig, als Sabine schon die Autotür zum Rücksitz öffnete.

»Sabine.«

Laura versuchte zu lächeln und hoffte, dabei nicht so albern auszusehen wie Margot. Deren Lächeln hatte mehr Ähnlichkeit mit einer Grimasse.

»Verona gefällt uns so gut, wir werden hier übernachten«, sagte Margot.

»Du willst ja sofort weiter, da musst du dir wohl eine andere Mitfahrgelegenheit suchen«, bemerkte Laura. »Tut uns leid.« Sie hielt Sabine ihren Koffer entgegen. »Viel Glück.«

Hoffentlich kamen sie so schnell wie möglich weg!

Sabine legte den Kopf schräg und kniff die Augen zusammen. Sie ahnte etwas! Ganz sicher! Langsam griff sie nach ihrem Koffer. Würde sie ihn öffnen? Laura traute sich kaum zu atmen. Aber Sabine nahm ihn nur an sich.

»Ja, also dann«, sagte Margot. »Wir machen uns jetzt auf die Suche nach einer Unterkunft.«

Laura und sie stiegen aus, schlugen die Autotüren zu, und Margot schloss ab.

Sabine nickte. »Kein Problem.«

Was hieß hier »kein Problem«? Wollte sie ebenfalls in Verona übernachten? Etwa im gleichen Hotel? Laura warf Margot einen Hilfe suchenden Blick zu. Doch die schaute nur verzweifelt zurück. Sie konnten nichts tun. Sabine war dabei. Ob sie wollten oder nicht. Denn sollten sie ihr ins Gesicht sagen, dass ihre Begleitung unerwünscht war? Wer wusste schon, ob sie dann nicht ausrastete? Sie mussten einen anderen Weg finden, ohne Sabine weiterzureisen. Am besten verließen sie am Morgen so früh wie möglich die Stadt. Sie würde Margot einen Zettel in ihre Handtasche schmuggeln, um ihr das vorzuschlagen.

»Was haltet ihr von einer Jugendherberge?«, fragte Margot. Sie blieb kurz stehen und wackelte mit ihren Zehen in den Flip-Flops.

»Gibt es hier so was?« Und was hieß Jugendherberge auf Italienisch?

Sabine zuckte mit den Schultern.

Schweigend liefen sie den Weg zurück in die Stadt und folgten den Schildern, die in Richtung *camere* oder *alberghe* wiesen. Eine Jugendherberge fanden sie nicht, nur Pensionen, die mindestens siebzig Euro die Nacht für ein Doppelzimmer haben wollten.

»Fünfunddreißig Euro pro Person!« Laura riss die Augen auf. »Nein, hier bleibe ich nicht.«

Glücklicherweise war die nächste Pension schon im Nachbarhaus, doch erst mit der vierten Unterkunft hatten sie Glück.

»Sechzig Euro für ein Doppelzimmer, vierzig für ein Einzelzimmer«, sagte der dicke Besitzer und bot an, sie herumzuführen.

Margot nahm sein Angebot an, obwohl Laura weitersuchen wollte. »Die sind doch wirklich günstig genug«, sagte sie.

»Günstig für Verona vielleicht«, kommentierte Laura.

Sabine sagte gar nichts. Sie musste ja auch nicht ans Geld denken.

»Immerhin spricht er Deutsch«, flüsterte Margot Laura ins Ohr.

Das hatte Vorteile, musste Laura zugeben. Außerdem merkte sie plötzlich, wie müde sie war. Kam das von der Schwangerschaft?

Margot deutete auf Sabine. »Ein Einzelzimmer, bitte.« Dann sah sie Laura an. »Und ein Doppelzimmer?«

Laura nickte heftig. Sie waren Reisegefährtinnen. Jugendherbergsteilerinnen, Zahnbürstennebeneinanderputzerinnen. Und jetzt zusammen in der Mission, eine kriminelle Mitreisende loszuwerden. Sie mussten einfach gemeinsam übernachten. Wie sollten sie sich sonst beraten?

»Ihre Ausweise, bitte«, verlangte der Pensionsbesitzer.

Laura zuckte zusammen. Nervös reichte sie ihren Personalausweis über die Theke, Gedanken an ihre Eltern und die Polizei flackerten auf. Doch der Wirt interessierte sich nicht für ihr Geburtsdatum. Sein dicker Bauch wackelte, als er sich über den Computer beugte, um ihre Namen einzutippen. Laura konnte nicht widerstehen. Sie holte ihr Handy heraus und knipste.

»Besser als jede Schwangere«, murmelte sie.

Sabine sah sie fragend an. Margot blickte angestrengt an die Zimmerdecke.

»Frühstück von acht bis neun«, sagte der Wirt und schob zwei Schlüssel über die Theke.

Das Zimmer war klein, altmodisch eingerichtet und roch muffig. Aber es besaß ein Bad. Duschen war das Einzige, was Laura momentan im Kopf hatte. Duschen und danach frische Sachen anziehen.

Als sie mit einem um die Haare gewickelten Handtuch aus dem Bad kam, lag Margot auf dem Bett und las in einem Prospekt. Die Flip-Flops baumelten an ihren Füßen. Trotzdem wirkte sie elegant. Margot konnte wahrscheinlich nicht anders.

Am Kopfende des Bettes, auf dem dunklen Holz, prangte eine Nagellacktomate.

»Sieht schon besser aus, fast wie eine richtige Tomate. Mit grünen Haaren.« Laura legte den Kopf schräg. »Oder du malst noch Augen dran, dann ist es ein Muppet.«

»Jetzt ist aber gut«, brummelte Margot.

Laura zog unschuldig die Schultern hoch. »Das war ein Lob!«

»Wusstest du, dass die Arena von Verona das drittgrößte erhaltene Amphitheater ist?« Margot blickte nicht auf, als Laura sich auf das andere Bett fallen ließ. »Die Arena wurde 30 nach Christus errichtet und fasst heute zweiundzwanzigtausend Zuschauer.«

»Willst du sie sehen?«

»Ich will mein Zeichen hinterlassen.«

Laura nickte.

»Bis wir in Rom sind, habe ich genug Übung. Das Kolosseum bekommt die prächtigste, größte und rundeste Tomate der Welt.«

Lauras Magen knurrte. »Wie wäre es mit Tomatensauce? Und ein paar Nudeln dazu.«

Margot steckte den Prospekt in ihre Handtasche und stand auf.

»Ist Sabine irgendwo zu sehen?« Laura rubbelte sich durch die Haare und schlüpfte in ihre Turnschuhe, während Margot die Zimmertür einen Spalt öffnete.

»Die Luft ist rein«, flüsterte sie.

Sabine stand vielleicht auch gerade unter der Dusche.

Vorsichtig schlichen sie durch den schummrigen Flur zur Eingangstür. Sabine ließ sich nicht blicken. Draußen war es so hell, dass Laura eine Hand über die Augen legen musste. Eine Sonnenbrille wäre toll gewesen.

Während sie durch die Straßen bummelten, schien Margot mit sich und der Welt zufrieden. Nur an Laura nagte es. Matthias hatte sich immer noch nicht gemeldet. Weder ein Anruf noch eine SMS. Wann würde er einsehen, dass sie zusammengehörten? In einer Woche würde sie ihren Eltern gegenüberstehen, bis dahin brauchte sie einen Plan. Eine Woche war wirklich nicht viel Zeit.

»Ach, wie hübsch!«, rief Margot plötzlich und blieb stehen.

Laura hatte nicht auf den Weg geachtet. Sie befanden sich in einer kleinen Gasse, überall standen Blumen auf den Fensterbänken, quer über die Straße war eine Wäscheleine gespannt, auf der Handtücher in der leichten Brise flatterten.

Ein Mann kam ihnen entgegen.

»Warum hab ich meinen Fotoapparat nicht dabei?«, seufzte Margot.

»Warum gibst du mir nicht dein Geld?«, fragte der Mann fast akzentfrei auf Deutsch und blieb stehen.

Unsicher sah Laura zu Margot, dann zu dem Unbekannten. Er war groß, schien jedoch nicht besonders muskulös.

Was sollten sie tun?

»Geld«, wiederholte der Mann in schärferem Tonfall. Er griff in seine Hosentasche, und plötzlich hielt er ein Messer in der Hand. Laura wich unwillkürlich einen Schritt zurück.

»Stopp!« Der Fremde kam näher.

Margot stand wie erstarrt vor ihm. Ihre linke Hand steckte halb in ihrer Handtasche, die rechte umklammerte den Griff so fest, dass die Knöchel weiß hervortraten.

»Okay.« Laura hob eine Hand. »Ich gebe Ihnen mein Geld. Augenblick.«

Behutsam öffnete sie ihre Schultertasche. Dabei

versuchte sie, Margot leicht anzustoßen, damit sie aus ihrer Trance erwachte. Nicht, dass der Kerl ihr noch etwas antat.

»Hier.«

Laura zog ihr Portemonnaie hervor und reichte es dem Mann. Er nahm es mit der Hand, in der er das Messer hielt. Das wäre wahrscheinlich ihre Chance gewesen, aber Laura hatte noch nie zur Heldin getaugt. Sie würde sich bestimmt nicht mit einem Typen prügeln, der wesentlich größer war als sie und ein Messer in der Hand hielt. Ihre Eltern waren sicher glücklicher über eine ungewollte Schwangerschaft als über eine lebensgefährliche Stichverletzung.

Eine Bewegung in der Seitengasse ließ den Mann herumwirbeln. Laura drehte ihren Kopf und sah ein geblümtes Kleid auf sich zukommen. Sabine! Ach du liebe Zeit!

Margot rührte sich immer noch keinen Millimeter.

Sabine blieb stehen, als sie das Messer in der Hand des Mannes sah. Blitzschnell schaute sie zuerst zu Laura, dann zur stocksteifen Margot. Sie ließ ihren Aktenkoffer fallen, fast im gleichen Moment schnellte ihre Faust vor, und der Räuber taumelte zurück. Das Messer fiel zu Boden, er griff sich an die Nase, Blut strömte hervor. Sabine trat ihm mit ihren Wandersandalen in den Schritt, und der Mann ging zu Boden.

Wortlos beugte sie sich hinunter, hob das Portemonnaie auf, das er fallengelassen hatte, und reichte es Laura.

»Wir sollten gehen«, sagte sie ungerührt.

Laura brauchte einen Augenblick, um sich zu sammeln.

»Was?«, fragte sie dann. »Sollen wir nicht die Polizei rufen? Oder einen Arzt? Oder …« Sie brach ab.

Sabine schüttelte den Kopf.

»Sabine hat recht. Wir sollten gehen«, rührte sich Margot mit krächzender Stimme. Sie räusperte sich, sah Sabine an und nickte.

»Wir sollten wirklich gehen«, wiederholte Sabine und schob Laura, die sich immer wieder nach dem Mann umsah, vor sich her.

Der hatte sich inzwischen erhoben und trollte sich, die Hand am Schoß, davon. Laura stolperte und beschleunigte schließlich ihren Schritt. Margot ging voran. Nach ein paar Metern erfasste Laura, dass sie nicht zur Pension zurückgingen.

»Unsere Sachen!«, stöhnte sie.

Sie konnten sich doch nicht noch einmal ohne Duschgel und Zahnbürsten auf den Weg machen! Zwei neue T-Shirts lagen auch noch im Zimmer.

Aber weder Margot noch Sabine hörten ihr zu. Allein in Verona übernachten wollte sie natürlich nicht. Was blieb ihr also übrig?

13

Margot saß hinter dem Steuer und hoffte inständig, keinen Unfall zu verursachen. So fahrig, wie sie mit dem Lenkrad umging, war es nur eine Frage der Zeit. Der Überfall hatte sie durcheinandergebracht. Ein Unbekannter mit einem Messer ... Und Laura noch so jung! Sie hätte Laura beschützen müssen. Stattdessen war sie zur Salzsäule erstarrt und erst aufgewacht, als Sabine den Mann überwältigt hatte. Ja, Sabine hatte der Himmel geschickt. Wo das Geld in ihrem Aktenkoffer herkam, wollte Margot gar nicht mehr wissen.

Sie versuchte sich auf die Straße zu konzentrieren. Im Innenspiegel konnte sie sehen, wie Sabine Geldscheine aus einem Portemonnaie holte und sie zählte.

»Du hast ihn beklaut?« Lauras Stimme klang schrill.

Sabine zuckte mit den Schultern, und Margot bog endlich auf die Autobahn ein. *Autostrada.* Jetzt musste sie nur noch Richtung Florenz fahren.

Sabine reichte Laura ein Geldbündel, das diese energisch abwehrte.

»Wie alt bist du?«, fragte Sabine.

»Si… achtzehn.«

»Mit achtzehn braucht man immer Geld.« Sabine legte die Scheine auf die Mittelablage.

»Aber doch kein geklautes!«

Erstaunlicherweise schien es Laura mehr aufzuregen, dass sie einen Kriminellen bestohlen hatten, als dass ein Krimineller versucht hatte, sie zu bestehlen. Sie war während des Überfalls so ruhig geblieben. Hatte so vernünftig mit dem Räuber geredet. Hatte sich erwachsener gezeigt als sie selbst. Was war mit ihr los? War es doch die Alterssenilität? Ermöglichte ihr Gehirn ihr kein rationales Denken mehr?

Daniel würde ausflippen, wenn er von dem versuchten Überfall erführe. Sie konnte sich vorstellen, wie er auf seinem Wohnzimmerteppich hin und her tigerte und sie zu überzeugen versuchte, dass sie nun wirklich zu alt war für solche Abenteuer. Hm. Margot biss sich auf die Lippen. Ihre Laune war plötzlich ein ganzes Stück besser geworden.

»Er hat dein Geld genommen, jetzt nimmst du seins«, sagte Sabine lapidar. Die Diskussion war beendet.

Laura ließ die Scheine demonstrativ auf der Mittelablage liegen. Ihr Magen knurrte hörbar. Da merkte Margot, was für einen Hunger sie selbst hatte.

»Pause an der nächsten Raststätte?«, fragte Laura.

»Autogrill heißt das hier«, korrigierte Margot.

Ein kleines Lächeln zeigte sich um Lauras Mundwinkel. Na also!

Sie hatten die Auswahl zwischen einem Burger King, einer Imbissstube und einem Selbstbedienungsrestaurant. Laura tendierte zu Burger King.

»Burger King, das ist was für die Jugend«, versuchte sie Margot zu überzeugen.

Schließlich landeten sie doch im Selbstbedienungsrestaurant. Margot waren ihre Flip-Flops für den Moment genug an Jugendlichkeit. Schlägereien, vermutete sie, fielen auch eher ins Repertoire junger Leute.

»Danke für die Rettung«, begann sie ein Gespräch mit Sabine.

Sabine winkte ab. »Reisegefährtinnen müssen zusammenhalten.«

»Woher …« Margot fand es schwierig, ihre Frage zu formulieren. Sie machte eine hilflose Geste mit der Hand. »Das war ein guter Schlag«, sagte sie schließlich. »Mitten auf die Nase.«

Sabine zuckte erneut mit den Schultern. »Ich hab mal geboxt.«

Laura riss die Augen auf und sah Margot durchdringend an. Vorsicht, sollte das offenbar heißen. Wir hätten sie loswerden sollen. Margot ignorierte das Mädchen. So wie es aussah, war Sabine auf ihrer Seite.

»Warst du schon einmal in Italien?«

»Ein paar Mal. Von Innsbruck ist es ja nur ein Katzensprung.«

»Ich war noch nie in Italien.« Margot zeigte Sabine den dicken Reiseführer.

»Ich auch noch nie«, beteiligte sich Laura nun doch am Gespräch.

Sie schaufelte Pommes frites in sich hinein und trank eine Cola. Es ist doch fast wie in einem Burger-Restaurant, sie verpasst also nicht viel, dachte Margot. Sie selbst war froh über die Porzellantasse, in der sie ihren Kaffee bekommen hatte, und über den echten Teller, von dem sie ihr Schnitzel essen konnte.

»Weshalb bist du hier?«, fragte sie Sabine schließlich. »Ich meine, weshalb per Anhalter, weshalb Italien?«

»Weshalb bist du denn hier?«, lautete Sabines Gegenfrage.

Margot seufzte. Weil sie Zeit hatte. Weil sie von einer Beerdigung kam und ihr langweilig war. Weil sie viel zu wenig erlebt hatte in ihrem Leben.

»Mein Mann ist gestorben«, antwortete sie.

Sabine nickte ernst und kaute langsam auf einem Stück Fleisch. Sie wischte sich den Mund mit einer Serviette ab, wies auf ihr blaues Auge und sagte schließlich: »Siehst du, und meiner nicht.«

Margot schluckte. Sie sah, dass Laura der Mund

offen stehen geblieben war. Fehlte nur, dass ihr das Essen wieder herausfiel.

»Nicht echt, oder?«, fragte Laura, als sie sich wieder gefangen hatte.

Sabine sah auf ihre Hände.

»Aber du kannst doch boxen!«, rief Laura.

Sabine lächelte, aber es sah traurig aus.

Laura öffnete den Mund, Margot stoppte sie jedoch, bevor sie etwas sagen konnte. »Solche Dinge sind kompliziert.«

Den Rest ihrer Mahlzeit aßen sie schweigend. Margot dachte an eine Freundin von früher, die oft »gegen Türen gelaufen« oder »Treppen hinuntergefallen« war. Dann sah sie Sabine und Laura an und schob ihre Gedanken an die Vergangenheit resolut beiseite. Das Hier und Heute war, was zählte. Und jetzt gab es keinen Ehemann und kein Altersheim.

»Wir sollten weiter, solange es hell ist«, sagte Margot, als sie den letzten Schluck ihres Kaffees genommen hatte.

Sie räumten ihre Tabletts in den dafür bereitstehenden Wagen und kehrten zum Auto zurück.

Als endlich die Ausfahrt Florenz in Sicht kam, wurde es tatsächlich schon dunkel. Margot war hundemüde. Sie wollte nur noch ins Bett. In irgendein Bett.

Sabine schlief auf dem Rücksitz, den Kopf ans Fenster gelehnt, und Laura gähnte zum wiederholten Mal. Beim ersten Hotel, an dem sie vorbeikamen, hielt Margot an. Sie warf einen Blick auf die teure Eingangshalle, zählte die Scheine, die immer noch neben ihr auf der Mittelablage lagen. Sie musste nicht lange nachdenken.

»Gesponsert von unserem Begrüßungskomitee«, sagte sie und zwinkerte Laura zu.

Laura lächelte schwach. Margot verbuchte das als Versöhnung mit Sabine.

Sie nahmen ein Einzelzimmer für Sabine, das direkt danebenliegende Doppelzimmer bezogen sie selbst und Laura. Es war schon Gewohnheit.

14

Laura lief im Frühstücksraum des Hotels auf und ab. Durch die hohen Decken wirkte er riesig. Sie brauchte zehn Schritte, allein um den ersten Büfetttisch der Länge nach abzugehen – und es gab drei Tische. Sie kam sich ein bisschen verloren vor in ihren verstaubten Jeans und etwas fehl am Platz. An den Wänden hingen Landschaftsbilder. Laura hatte keine Ahnung von Kunst, aber sie fand die Gemälde kitschig. Einige zeigten grüne Hügel und rote Häuser, die meisten jedoch waren Bilder vom Strand in viel zu leuchtenden Farben. Wie weit war es bis dahin eigentlich? Konnten sie einen Abstecher ans Meer machen? Lauras Magen knurrte, und sie wandte den Blick dem Frühstücksangebot zu. Neben Eiern, Käse und Wurst lagen Brötchen und Hörnchen, Obst und Kuchen, Joghurt und Cornflakes. Laura hatte noch nie so viel Auswahl auf einmal gesehen. Fantastisch! Wie viel hatten sie für die Zimmer gezahlt?

Sie nahm sich eine Schale Müsli und bestellte einen Kakao beim Kellner, nahm im Vorbeigehen eine deutsche Zeitung von einem Ständer und setzte sich allein an einen Tisch. Margot war noch im Bad. Im Gegensatz dazu, was man sonst von alten Menschen hörte, war sie eine regelrechte Langschläferin. Sabine war auch noch nirgends zu sehen. Einige Tische waren frei, offenbar schliefen noch mehr Leute lange, oder das Hotel war nicht ausgebucht.

Die Gäste, die sich im Speiseraum befanden, hätte Laura auch nicht unbedingt zur typischen Kundschaft eines Luxushotels gezählt. Am Nebentisch saßen zwei muskelbepackte junge Männer, deren Frühstück ausschließlich aus Eiern zu bestehen schien. Jeder hatte sich mindestens sechs gekochte Eier und einen Haufen Rührei auf den Teller geladen. Es gab eine junge Familie mit drei kleinen Kindern und ein älteres Ehepaar, von dem Laura vermutete, dass sie ebenfalls Deutsche waren – kurze Hosen mit braunen Ledersandalen und bis fast zu den Knien hochgezogene Socken zu kombinieren war Menschen anderer Nationen eher fremd.

Laura wandte sich ihrer Zeitung zu. Mord und Totschlag, Unfälle und Krankheiten, ein paar nackte Brüste und ein Sexskandal. Am Rand stand eine kleine Notiz.

Spektakulärer Überfall auf
Innsbrucker Sparkasse

*Am gestrigen Morgen, gleich nach Öffnung der
Filiale um acht Uhr, betrat eine bewaffnete Frau
den Schalterraum und verlangte die Herausgabe
des Bargelds. Die maskierte Frau erbeutete einige
Tausend Euro und verschwand nach dem Überfall spurlos. Die Polizei geht davon aus, dass die
Frau, die von Zeugen als recht groß und kräftig
beschrieben wurde, über die Grenze nach Italien
oder Deutschland geflohen ist. Möglicherweise
gibt es Mittäter, die ihr zur Flucht verholfen haben. Hinweise werden erbeten unter ...*

Laura ließ die Zeitung sinken. Ein Bankraub. Das
durfte doch nicht wahr sein! Sabine hatte eine Bank
überfallen und war auf der Flucht vor der Polizei.

Da nistete sich diese Frau in Margots Auto ein,
schlich sich mit ihrer Überfallaktion in das Herz der
älteren Dame, und jetzt das. Sie war eine hundsge-
meine Verbrecherin! Das Frühstück war vergessen.
Als der Kellner ihr den Kakao hinstellte, sah sie ihn
irritiert an.

In diesem Moment kam Margot in den Frühstücksraum. Genau wie Laura schlenderte sie am
Büfett vorbei. Mit einer Gabel pikste sie einmal hier
hinein, einmal dort hinein.

»Margot!«, zischte Laura und winkte ihr zu.

Die Ältere strahlte den Kellner an, bestellte einen Kaffee und brauchte Ewigkeiten, bevor sie sich entschieden hatte, was sie essen wollte.

»Guten Morgen!«

Margots Strahlen verblasste, als sie mit ihrem Tablett den Tisch erreichte. Wahrscheinlich sprach Lauras Gesichtsausdruck Bände.

»Hier!« Laura wedelte mit der Zeitung. »Sieh dir das an!«

Margot lächelte und gab einen Klecks Honig auf ein Hörnchen. »Die Dinger heißen übrigens *cornetto*. Nein, Moment, mehrere heißen dann … *cornetti*!« Schließlich seufzte Margot und sagte: »Wenn du mit der Zeitung so in der Luft herumfuchtelst, kann ich mir gar nichts ansehen.«

»Eine Bankräuberin!«

Entsetzt hielt sich Laura die Hand vor den Mund. Das hatte sie nicht so laut sagen wollen. Sie sah sich um. Aber die anderen Gäste waren alle mit sich selbst beschäftigt, frühstückten oder erzählten sich etwas. Das alte Ehepaar steckte die Köpfe über einem Stadtplan zusammen, und der Kellner hatte damit zu tun, Kaffee zu servieren.

»Sabine hat eine Bank ausgeraubt«, wiederholte Laura leiser. »Daher hat sie das Geld aus dem Koffer!«

Jetzt blickte sich auch Margot um. Sie nahm einen Schluck von ihrem Kaffee, dann zog sie die Zeitung näher.

»*Überfall auf Innsbrucker Sparkasse …*«, murmelte sie. Mit größer werdenden Augen las sie den Rest. Schließlich richtete sie sich gerade auf. »Ja, da brat mir einer 'nen Storch!«

Na, endlich!

»Was machen wir?«, fragte Laura. »Zur Polizei gehen?«

Margot schien ihr nicht zuzuhören. »Ganz allein eine Sparkasse überfallen.« Sie schüttelte den Kopf und lachte laut auf. »Das hätte ich mich nie getraut!«

Was war denn jetzt los? Wurde Margot verrückt? Wäre das Altersheim doch die richtige Entscheidung?

»Ist ja auch illegal!«, sagte Laura.

»Aber auch ziemlich stark. Oder wie sagt ihr jungen Leute?«

»Cool.« Aber das war nicht der Punkt! »Du findest das doch nicht wirklich gut, oder?«

Margot wurde ernst. »Wie sicher sind wir, dass sie die Bankräuberin ist?«

»Kommst du wieder mit deiner Theorie, dass sie geerbt haben könnte? Bargeld?«

Margot kniff die Augen zusammen. »Sie hatte es nicht einfach. Du hast ihr blaues Auge gesehen.«

Laura sah auf ihre Hände. Das war ein ganz schöner Knaller gewesen gestern, es hatte ihr sogar den Appetit auf die Pommes verdorben. Zumindest ein bisschen.

»Außerdem hat sie uns gerettet.«

»Ich hatte die Situation im Griff«, protestierte Laura.

Gut, wegen Sabine besaß sie nun noch ihr Geld und ihre EC-Karte. Trotzdem. Es ging ums Prinzip. Und Sabine war seltsam. Laura deutete auf die vorletzte Zeile.

»Mittäter. Die gehen davon aus, dass Sabine Mittäter hat. Wer wird denn wohl als Erstes verhört, wenn sie sie festnehmen?«

Margot legte ihr Hörnchen ab und knetete ihre Hände. »Das ist in der Tat ein Problem.«

»Also. Rufst du an oder ich?«

Margot sah wieder in die Zeitung und blätterte um. Sie überflog hier einen Artikel, dort einen. Dann blieb sie unten an der Seite hängen.

»*Vermisst*«, las sie vor. »*Seit Dienstagnachmittag gilt die siebzehnjährige Laura S. aus München als vermisst. Zum Zeitpunkt ihres Verschwindens trug die junge Frau Jeans und ein blaues T-Shirt. Hinweise erbeten unter …*«

Sie faltete die Zeitung langsam zusammen und sah Laura aufmerksam an.

»Sieht so aus, als hätte da noch jemand nicht ganz die Wahrheit gesagt.«

Laura wurde heiß. Dann kalt. Und wieder heiß. Ihre Wangen fühlten sich knallrot an. Nein! Sicher war sie leichenblass.

»D… das bin ich nicht«, stotterte sie.

Margot zog eine ihrer eleganten Augenbrauen hoch. Wann hatte sie Zeit gehabt, die zu zupfen?

»Es tut mir leid. Ich war verzweifelt!« Laura legte eine Hand auf ihren Bauch.

»Du hast mich belogen. Mit deinem Alter, mit deinen Eltern, dass du allein lebst.« Margot presste die Lippen aufeinander. »Vielleicht sucht mich die Polizei schon wegen Mithilfe. Oder Entführung!« Margot warf die Hände in die Höhe.

»Werd mal nicht dramatisch, du bist auch abgehauen!«

»Aber ich bin volljährig!« Margot stellte ihre Tasse klirrend auf der Untertasse ab.

Die beiden jungen Männer vom Nebentisch blickten von ihren Eiern auf, die sie in sich hineinschaufelten.

Laura beugte sich vor und versuchte leise zu sprechen. »Du kennst meine Eltern nicht. Das sind totale Kontrollfreaks.«

»Es sind die Eltern einer Minderjährigen!«

»Einer schwangeren Minderjährigen!«

Jetzt wurde auch Laura wieder laut. Wütend schob sie ihren Stuhl zurück, der quietschend über den Boden schabte.

»Du fährst nach Hause«, sagte Margot und hielt Laura am Arm fest, als sie aufstehen wollte.

»Was?« Entsetzt schaute Laura Margot an. »Das kannst du mir nicht antun!«

Bisher hatte sie die alte Frau für nett gehalten. Für verständnisvoll. Für ihre Partnerin auf dieser Reise.

»Ach? Du belügst und betrügst mich, benutzt mich, und jetzt tue ich dir etwas an?«

»Ich hab doch schon gesagt, es tut mir leid!« Laura entriss Margot ihren Arm.

»Na, das hilft mir viel, wenn die Polizei mich festnimmt«, höhnte Margot.

»Ja, jetzt ist die Polizei doch ein Problem. Margot darf Graffitis malen und Dinge beschädigen, aber Laura darf nicht einmal lebenswichtige Entscheidungen treffen!«

Sie machte eine ausladende Bewegung mit der Hand, um die Dramatik ihrer Situation zu unterstreichen. Dummerweise erwischte sie dabei Margots Kaffeetasse, die laut scheppernd zu Boden fiel und dort zerbrach. Eine braune Pfütze bildete sich vor ihren Füßen. Alle Gäste, selbst die lärmenden Kinder, blickten neugierig zu ihnen herüber.

Der Kellner kam, kehrte wortlos die Scherben zusammen und wischte die Flüssigkeit auf.

»Das ist alles deine Schuld«, zischte Laura, während sie ihren Stuhl wieder an den Tisch rückte. Sie zerriss ihre Papierserviette und ließ die Fetzen auf den Boden fallen. Langsam verrauchte ihre Wut. »Was soll ich denn machen, wenn du mich im Stich lässt?«, fragte sie. »Dann kommt Matthias nie zurück.«

Margot seufzte. »Was passiert, wenn ich dich weiter mitnehme, und du wirst krank? Hast einen Unfall?«

Es lag nur Sorge in ihrem Blick, keine Wut. Vielleicht hatte sie sich doch nicht in Margot getäuscht.

»Ich werde vorsichtig sein«, versprach Laura. Sie dachte an Margots Versprechen in Verona, bei ihrer Nagellackaktion achtzugeben. »Mir wird nichts passieren, und schon gar nicht werde ich mich von der Polizei erwischen lassen. Aber ich brauche diese Chance.« Bittend sah sie Margot an. »Matthias ist doch meine große Liebe.«

Margot seufzte. »Ich brauche noch einen Kaffee.« Sie sah sich um. »Wo bleibt der Kellner denn? Hat er jetzt Angst vor uns?«

Laura griff nach der Zeitung. Vermisst. Dabei hatte sie ihrer Mutter sogar zwei SMS geschrieben. Sie kramte ihr Handy aus der Hosentasche, schaltete es ein, ignorierte die unzähligen unbeantworteten Anrufe und tippte eine Nachricht ein. *Ich bin nicht vermisst, ich weiß genau, wo ich bin! Reden in ein paar Tagen.* Sie drückte auf Senden.

Margot nahm sich noch ein *cornetto* und bestrich es mit Marmelade. Das sah gut aus. Besser als Lauras Müsli, das inzwischen aufgeweicht war.

»Ich hole mir auch eins von diesen *cornettos*.«

»*Cornetti.*«

»Diesen Hörnchen halt.«

Als Laura an den Tisch zurückkam, fragte Margot: »Und du hast deinen Eltern nichts gesagt?«

Laura seufzte. »Ich hab ihnen eine SMS geschickt.«

»Aha.«

»Sie sollen sich keine Sorgen machen.«

»Der beste Weg, jemanden dazu zu bringen, sich Sorgen zu machen, ist, ihm zu sagen, er solle sich keine Sorgen machen«, erklärte Margot. »Was hältst du von einem Anruf?«

»Wir können ja beide telefonieren. Du sagst deinem Sohn, er soll sich die Altersheimidee dahin stecken, wo die Sonne nicht scheint, und ich sag meinen Eltern, was mit mir ist.«

Margot schwieg.

Der Kellner brachte ihr das ersehnte Kännchen mit Kaffee, ein kleineres mit Milch stellte er daneben. Margot sah Laura nicht an. Sie schenkte sich in aller Ruhe ein.

»Und unsere Bankräuberin? Was machen wir mit der?«, kam sie dann auf das Thema Sabine zurück. »Willst du sie wirklich anzeigen?«

Eine Bankräuberin war eine Bankräuberin. Aber zumindest war die Bankräuberin auf ihrer Seite. Laura überlegte.

»Vielleicht gibt's Finderlohn.«

»Sabine ist auch eine gute Geldquelle.«

»Sie ist vor allem seltsam«, sagte Laura. Das musste Margot ja wohl zugeben!

»Ganz im Gegensatz zu uns, nicht wahr? Wie viele Bäuche hast du heute schon fotografiert?«

»Bloß den vom Kellner! Und nur, weil er seinen Schlips in den Hosenbund gesteckt hat. Sieht echt schräg aus.« Laura seufzte. »Du hast ja recht. Und nein, ich will Sabine nicht anzeigen.« Instinktiv legte sie wieder die Hand auf ihren Bauch. Jede von ihnen hatte ihre Probleme.

»Und du verrätst mich ganz bestimmt nicht?«, fragte Laura misstrauisch. Nicht dass Margot auf Harmonie machte und hinter ihrem Rücken ihre Eltern anrief.

Margot folgte Lauras Bewegung mit den Augen.

»Ich werde sagen, dass du dich für achtzehn ausgegeben hast, ich werde alt und tatterig tun und als sei ich das arme Opfer einer durchtriebenen Ausreißerin.« Sie biss in ihr *cornetto,* kaute, schluckte und fügte dann hinzu: »Ich habe keine Lust mehr darauf, Verantwortung für andere zu übernehmen. Ich finde, in meinem Alter sollte damit Schluss sein. Wir machen das Beste aus diesem Urlaub«, versprach sie. »Ich kriege mein Italienerlebnis, du kriegst deinen Matthias zurück.«

Laura musste grinsen. »Und die Polizei kriegt Sabine nicht?«

15

Normal verhalten, sagte Sabine sich, während sie vor dem Spiegel stand und eine entspannte Haltung probte. Normale Menschen standen aufrecht, aber locker. Sie musste sich so sorglos verhalten wie Margot, die beiden durften keinen Verdacht schöpfen.

Sie straffte die Schultern und drückte die Brust heraus. Nein, das war zu kämpferisch. Nachdem sie in Verona den Angreifer niedergeschlagen hatte, hielt Laura Abstand zu ihr. Das musste wieder anders werden, die Frauen waren ihre Tarnung und sollten es bleiben.

Sabine musste sich anpassen, dazugehören. Vor allem musste sie aufhören, ständig über die Schulter nach möglichen Verfolgern Ausschau zu halten. Den Typ mit dem grauen Trench, der ihnen am Tag zuvor gefolgt war, hatte sie sich bestimmt nur eingebildet. Sie hatte sich Mühe gegeben, so schnell konnte niemand auf ihre Spur gestoßen sein. Oder doch?

Bisher hatten Margot und Laura noch nichts von ihrer Vorsicht bemerkt, aber es war nur eine Frage der Zeit, bis es ihnen auffallen würde.

Ein anderes Problem war, dass sie begann, die beiden zu mögen. Dass plötzlich ihre Gefühle mitspielten, konnte sie in Schwierigkeiten bringen. Brachte sie Margot und Laura in Gefahr? Es ging um viel Geld, da konnten Menschen leicht skrupellos werden.

Sie nickte ihrem Spiegelbild zu und versuchte ein Lächeln. Es war schief. Sabine seufzte und öffnete die Tür. Normal verhalten, wiederholte sie still, während sie den Flur hinunterlief, verhalte dich ganz normal.

16

Margot steckte ihren Reiseführer in die Handtasche und zog ihre Flip-Flops an. Zufrieden sah sie auf ihre Füße. Die neue Fußfreiheit gefiel ihr.

Ein schlechtes Gewissen hatte sie nicht. Sabine hatte sie beschützt, hatte ihren Angreifer niedergeschlagen und ihr Geld, womöglich sogar ihr Leben gerettet. Vielleicht war Sabine eine Bankräuberin. Und wenn schon – sie war auf ihrer Seite! Nein, in Margots neu entdeckter Welt ohne Eddie, ohne Daniel und ohne drohendes Altersheim war es völlig in Ordnung, eine Straftat zu decken. Oder die Ermittlungen zu behindern, wie es im Fernsehen immer hieß. Eddies Krimis hatten Spuren hinterlassen.

»Wir machen doch auch keinen Urlaub«, murmelte Margot und sah Laura an. »Du bist genauso auf der Flucht wie ich. Und Sabine.« Die eine floh vor dem Altersheim, die andere vor ihrer Schwangerschaft.

»Flüchtende müssen zusammenhalten«, sagte Laura schließlich.

Es klopfte an der Zimmertür.

»Seid ihr so weit?« Sabine wartete.

»Als Erstes müssen wir zum Dom.« Margot schloss die Tür ab.

»Hat der noch nicht genug an Deko?« Laura zwinkerte ihr zu.

»Doch, natürlich. Aber alles wird besser mit Tomaten.«

Sabine sah Laura fragend an. Sie trug wieder ihr geblümtes Kleid, den Aktenkoffer hielt sie in der Hand.

»Margot will sich auf dieser Reise an jedem Ort verewigen«, erklärte Laura.

Sabine nickte.

Margot zog ihren Reiseführer aus der Handtasche und schlug ihn auf.

»Wusstet ihr, dass ein Mann namens Giotto den Glockenturm gebaut hat?«

»Giotto wie die Süßigkeiten?«

»Ja, Giotto di Bondone. Wie Bernini war er ein Architekt, Maler und Bildhauer.« Margot hatte am Abend die Seiten über Rom gelesen.

»Raffaelo«, sagte Sabine. »Auch Bildhauer und Süßigkeit.«

Erstaunt sah Margot auf. Die schweigsame Sabine konnte witzig sein? Sabine zuckte lächelnd mit den Schultern, und Margot grinste.

»Ich mag am liebsten Snickers. Hat der auch was gebaut?«

Laura lachte und lief vor ihnen die Treppe hinunter. Sie schien gut gelaunt zu sein, das freute Margot.

Das Mädchen fasste sich viel zu oft an den Bauch und zog dann jedes Mal die Augenbrauen zusammen. Sie hatte schon eine richtige Sorgenfalte auf der Stirn.

Florenz war eine wundervolle Ablenkung. Es würde Laura doch nichts bringen, nur über ihr Problem nachzudenken. Lösungen kamen von selbst, meist wenn man unter der Dusche stand oder gerade vom Zehnmeterbrett im Schwimmbad sprang.

Mit dem Stadtplan vor der Nase erklärte Margot den Weg zum Dom. Das Hotel lag fast im Zentrum, sie mussten nur einige hundert Meter weit gehen. Es war noch früh und angenehm kühl. Die Sonne blitzte nur hin und wieder über die hohen Gebäude in die engen Straßen. Nur die vielen Fußgänger waren furchtbar, Touristen und zur Arbeit hastende Florentiner.

»Passt auf eure Taschen auf!« Laura zog ihre Schultasche enger an sich. »Blöde Bürgersteige!« Sie wich auf die Straße aus, bevor ein hupendes Auto sie wieder zurückscheuchte.

Auf den Gehwegen, die vielleicht halb so breit waren wie in Deutschland, konnten sie nicht nebeneinander gehen und mussten ständig auf die Straße ausweichen, wenn wieder ein Tourist stehen blieb, um ein Foto zu machen oder zwei Florentiner sich zu einem Pläuschchen trafen. Und die Geschäftsleute hatten es so eilig, dass sie immer wieder angerempelt wurden.

»Wo wollen die denn bloß alle hin?«, fragte Laura, als ein Mann im Anzug ihr in die Hacken trat. »Beruhigt euch, und hört auf zu hetzen, ihr kommt früh genug ins Büro!«

»Der Dom!«

Margot deutete nach rechts, wo sich die prächtige Kathedrale erhob. Mitten zwischen den hohen Häusern in dem eng bebauten Viertel konnte man sie erst sehen, wenn man direkt davorstand. Margot blieb stehen und legte den Kopf in den Nacken.

»Und der Giotto-Turm«, grinste Laura und deutete auf den Campanile.

»Wir sollten diese Kügelchen später zum Kaffee essen«, sagte Margot. »Ist das nicht auch deren Werbung? Irgendwas mit Kaffee?«

Aus den Augenwinkeln sah Margot eine Bewegung. Sie drehte sich um. War da jemand? Natürlich Touristen, englische, japanische, deutsche.

Sie wandte sich wieder dem Dom zu, dessen faszinierende Fassade sie so oft in Reiseführern und Bildbänden bewundert hatte. Doch Fotos reichten nicht einmal ansatzweise an die Realität heran. Margot näherte sich der Gebäudewand. Sie ließ ihre Finger über die bunten Steine gleiten, bevor sie ihre Nagellackfläschchen hervorholte.

»Verhaltet euch unauffällig! Stellt euch hinter mich.«

Sabine legte den Kopf schräg, und Laura kicherte.

Runder roter Körper, ein paar grüne Blätter.

»Was soll das denn sein?« Laura zeigte auf die kleine grüne Tomate neben der großen roten.

»Das bist du.« Margot steckte ihre Lackfläschchen wieder ein. »Ich bin die reife, rote Tomate, du die grüne, unreife. Du musst noch ein bisschen wachsen.«

»Oh, wie symbolisch«, stöhnte Laura.

Sabine lachte, und Margot wünschte sich, sie hätte eine dritte Tomate gemalt. Beim nächsten Mal.

Sie spürte ein Prickeln im Nacken. War da jemand? Nein, nur Touristen, Sabine und Laura. Was war nur mit ihr los? Wurde sie paranoid? Margot versuchte ein Lächeln.

»Dann mal auf ins Innere.«

Sie steckte den Nagellack in die Tasche und holte den Reiseführer wieder heraus. Während sie in die Kathedrale gingen, blickte sie noch einmal über die Schulter zurück. Wahrscheinlich hatte sie der Zeitungsartikel so durcheinandergebracht, dass sie sich jetzt verfolgt fühlte. Eine Bankräuberin hatte man nicht alle Tage an seiner Seite. Trotzdem zog sie Laura hinter eine Säule.

»Meinst du, die Polizei ist ihr schon auf der Spur?«, flüsterte Laura, als hätte sie Margots Gedanken erraten.

Hilflos zuckte Margot mit den Achseln. Sollte sie Laura überhaupt mit ihrem Verfolgungswahn belasten? Ein Mann schlenderte an ihnen vorbei und betrachtete sie aufmerksam. War das ein Zivilpolizist?

»Vielleicht sollten wir bald aufbrechen und nicht noch eine Nacht hier verbringen.«

Laura nickte, holte ihr Handy hervor und fotografierte einen vorbeieilenden beleibten Priester. Margot bewunderte seine wallende Robe.

»Das wird eine fabelhafte Kollektion.«

»Matthias hat sich nicht gemeldet.« Laura sah auf das Display ihres Handys.

»Geduld. Die braucht man bei Männern.« Margot hatte weit über vierzig Jahre vergeblich darauf gewartet, dass Eddie mit ihr nach Italien fuhr. Geduld war gar kein Ausdruck.

»Geduld ist eine Tugend.« Laura verzog das Gesicht.

»Manchmal nicht.« Sabine deutete auf ihr blaues Auge. Dann lächelte sie. »Da geht's lang zur Kuppel. Wir wollen doch nichts verpassen!«

Später schlenderten sie über die Ponte Vecchio, deren dritter Brückenpfeiler nun von drei Tomaten verschönert worden war, und bewunderten den Neptun-Brunnen, an dem ein älterer Herr Margot so aufdringlich folgte, dass sie ihren Nagellack an Laura weitergeben musste. Ihren Verehrer versuchte sie vergeblich loszuwerden, indem sie ihr Handy herausholte und ein Selbstgespräch führte. Währenddessen hielt sie die Hand so, dass ihr Ehering gut sichtbar war, doch der Casanova wartete geduldig, bis sie das Telefon wieder weggelegt hatte, und Margot versuchte den Mann mit einem unnahbaren Gesichtsausdruck zu verscheuchen. Sie wurde ihn erst los, als eine Studiosus-Reisegruppe mit weitaus mehr Rentnerinnen als Rentnern den Platz betrat. Margot seufzte, klopfte sich den Staub vom Kleid und ging hinüber zu Laura und Sabine.

»Die hat ein Gesicht!«, beschwerte sie sich, als sie endlich Lauras Kunstwerk begutachten konnte.

»Mit Falten.« Laura reichte ihr das rote Fläschchen zurück. »Wenn du schon die reife Tomate bist, dann auch richtig.«

Die berühmten Uffizien betrachteten sie nur von außen, die Warteschlange war einfach zu lang.

»Da stell ich mich nicht an«, sagte Laura resolut, »in meinem Zustand!«

Margot verdrehte die Augen, musste aber lächeln. Laura konnte allerhöchstens im zweiten Monat sein, aber schwanger war schwanger.

»Ich könnte den Wachmann überreden, uns an der Schlange vorbei hineinzumogeln«, schlug Sabine vor.

Margot schüttelte schnell den Kopf. Sie wollte lieber nicht darüber nachdenken, ob Sabine ihn bestechen oder zu härteren Mitteln greifen würde.

Seit ihrem Frühstück hatten sie nur einen Kaffee getrunken und *cornetti* gegessen, und jetzt war es vier. Wie die Zeit verflog! Margots Beine waren müde, aber sie fühlte sich überhaupt nicht alt. Das sagte sie auch den beiden anderen, woraufhin Laura stolz grinste.

»Das liegt an mir«, erklärte sie. »Ich senke das Durchschnittsalter.«

»Bedeutend.« Margot musste grinsen.

Auf Margots Protest hin mieden sie einsame, finstere Gassen, obwohl Laura wenig Verständnis zeigte. Aber als Sabine auf ihren Bizeps zeigte, entschied auch sie sich dagegen.

Immer wieder versuchte Margot den Gedanken an die Polizei zu verscheuchen, doch immer wieder prickelte es in ihrem Nacken. Einmal dachte sie, jemanden um eine Ecke verschwinden zu sehen, einmal hinter ein Auto. Margot, du wirst tatsächlich alt und senil, schimpfte sie sich, reiß dich zusammen.

Trotz der Schönheit der Stadt war sie froh, als sie aus dem Hotel ausgecheckt hatten und sie ihren Wagen aufschloss.

»Hey, den kenn ich!« Laura nickte in Richtung eines hageren Kerls mit Brille, der sich die Schaufensterauslage eines Modegeschäfts ansah. Er trug einen grauen Trench, obwohl es viel zu warm war. »Den hab ich doch schon in Verona gesehen. Und in der Schlange zu den Uffizien stand er! Moment mal!«

»Das ist bestimmt nur Zufall«, sagte Margot, merkte aber, dass sie sich damit nicht einmal selbst beruhigen konnte. »Wir waren schließlich an all den Orten, an denen sich Touristen gern aufhalten.«

Laura blickte den Mann skeptisch an. Er schien sie nicht zu bemerken. Jetzt riss er seinen Blick vom Schaufenster los und spazierte langsam davon. Margot stieß einen erleichterten Seufzer aus. Falscher Alarm! Wahrscheinlich brauchte sie einfach eine neue Brille. Sie schloss das Auto auf und plumpste auf den Fahrersitz. Plötzlich fühlte sie sich sehr, sehr alt.

Sie drehte sich zu Sabine um. »Kannst du fahren?«

Sabine zögerte. Sie leckte sich kurz über die Lippen, dann nickte sie. Sie tauschten die Plätze, und Margot streckte Beine und Arme von sich. Ein Klicken ließ sie aufblicken.

»Du hast schon wieder meinen Bauch fotografiert?«

»Du malst mich schließlich auch als Tomate.« Laura knipste Sabines Bauch. Die protestierte nicht. »Was jetzt? Endlich Rom?«

Margot nickte. »Auf in die ewige Stadt.«

Klack machte sie mit dem Aktenkoffer.

17

Laura blinzelte schläfrig, während sie gemächlich die *autostrada* in Richtung Rom fuhren. Sie benutzte ihre Tasche als Kopfkissen und drehte den Kopf so, dass sie nach draußen sehen konnte. Sabine überholte gerade einen klapprigen Ford, und als Laura einen Blick auf den Insassen erhaschte, wären ihr beinahe die Augen ausgefallen.

»Der Typ«, rief sie. »Der im grauen Trenchcoat! O Gott, er verfolgt uns doch!«

»Was?« Margot beugte sich vor.

»Ach, Quatsch«, sagte Sabine und beschleunigte.

»Nein, halt, bremsen!« Laura wollte ihn noch einmal genauer sehen. »Ich bin mir absolut sicher, dass er das ist.«

»Wieso sollte er uns verfolgen?« Sabine sah starr geradeaus, was Laura nicht gefiel. »Hast du etwas ausgefressen?«

»Ich? Wieso?«

Langsam wurde Laura sauer. Wusste Sabine von dem Verfolger? Hatte sie einen Plan? Oder weshalb ignorierte sie Lauras Warnung?

»Du hast ihn doch gar nicht richtig sehen können«, mischte sich nun auch Margot ein.

»Fahr langsamer, dann könnt ihr euch überzeugen.« Ihr verbockten alten Tanten, hätte sie am liebsten hinzugefügt.

»Dann kommen wir nie nach Rom.« Sabine änderte nichts an ihrer Geschwindigkeit.

»Interessiert euch das denn überhaupt nicht? Da ist jemand hinter uns her!« Wie konnten die beiden so gleichgültig bleiben! »Wer weiß, wer das ist! Die Polizei vielleicht!«

Oder ein Krimineller. Himmel, vielleicht hatte Sabine einen Komplizen übers Ohr gehauen, der sich jetzt rächen wollte. Dann war es auch logisch, dass sie weiterfahren wollte. Eiskalt benutzte sie Margot und Laura als Mitfahrgelegenheit.

»Wovor läufst du eigentlich davon?«, fragte Laura. Sie würde Sabine jetzt mit der Wahrheit konfrontieren. In ihrer Wut hatte sie keine Angst mehr vor ihr. »Nur mit einem Aktenkoffer, so macht niemand Urlaub!« Na ja, kaum noch Angst. Das mit dem Geld traute sie sich dann doch nicht zu sagen.

»Das geht dich überhaupt nichts an«, antwortete Sabine.

»Bist du auf der Flucht vor der Polizei? Hast du was angestellt?«

»Das musst du kleine Ausreißerin grad sagen.«

»Woher weißt du das?« Laura riss die Augen auf.

Sie drehte sich zu Margot. »Hast du ihr das etwa gesagt? Du ... du Verräterin!«

»Ich musste mich doch irgendjemandem anvertrauen!«, rief Margot.

»Ich fasse es nicht. Und du hast gesagt, du willst keine Verantwortung mehr! Wer lügt denn jetzt hier eigentlich?« Laura zeigte auf Sabine. »Die hier ignoriert, dass wir von der Polizei gejagt werden, und du glaubst mir nicht mehr!«

»Wir werden nicht verfolgt, nun sei nicht paranoid«, schimpfte Margot. »Du hast einfach Panik, seit du weggelaufen bist.«

»Ich bin doch nicht blind!«

»In Gottes Namen, dann drehen wir halt um, wenn du dich unbedingt überzeugen willst.« Margot tippte an die Lehne des Fahrersitzes.

»Nein.« Sabine fuhr stur weiter.

»Siehst du?« Lauras Stimme kippte. »Ihretwegen kommen wir ins Gefängnis!« Oder Schlimmeres. Was, wollte Laura sich nicht ausmalen.

»Nun sei doch nicht so«, sagte Margot. »Können wir nicht ...«

Margots letzte Worte mündeten in ein undeutliches Gemurmel. Laura drehte sich zu ihr um. Margot blinzelte ein paarmal, hob unendlich langsam die Hand, dann schien alle Kraft aus ihrem Körper zu weichen. Sie sackte in sich zusammen, der Kopf fiel gegen die Fensterscheibe.

»Anhalten!«, schrie Laura.

Sabine trat auf die Bremse, zog das Lenkrad herum, der Wagen ruckelte, dann standen sie auf dem Seitenstreifen.

»Margot!« Laura schnallte sich ab und sprang aus dem Auto. Sie öffnete die hintere Tür und rüttelte an Margots Schulter. Keine Regung. »Ein Arzt! Wir brauchen einen Arzt!«

Lauras Knie, ihre Hände, ihr ganzer Körper zitterte. Margot war doch schon so alt. Hatte sie einen Schlaganfall? Würde sie sterben? Laura merkte, wie ihr die Tränen kamen.

»Lass mich mal.« Sabine drängte sich an ihr vorbei und legte eine Hand an Margots Hals. »Da ist ein Puls«, sagte sie. »Unregelmäßig und schwach, aber noch da.« Sie schob Laura zurück nach vorn und drückte sie hinunter auf den Sitz.

»Wir fahren zum nächsten Krankenhaus.«

»Gib Gas!«, schluchzte Laura.

18

Als sie das Hinweisschild mit dem Wort *ospedale* darauf sah, atmete Sabine erleichtert auf. Sie hatte weder aufgepasst, in welcher Stadt sie sich befanden, noch wagte sie es, Laura zu fragen, wie es Margot ging. Sie konzentrierte sich nur aufs Fahren.

Die Nächste rechts, dann war auf einmal das Krankenhaus zu sehen. Sabine stellte den Wagen auf dem Bürgersteig ab, vermutlich herrschte hier Halteverbot, aber das war im Augenblick egal.

»Hilfe!«, schrie Laura, öffnete die Beifahrertür und winkte in Richtung Krankenhaus.

Sabine dachte nicht daran, auf einen Pfleger zu warten. Sie war stark genug, Margot ein Leichtgewicht. Sie hob die ältere Frau vom Rücksitz, sofort war Laura bei ihr.

»Ich helfe dir.«

Das Mädchen stützte Margots Kopf, dann rannten sie im Laufschritt zum Eingang. Offenbar hatte man sie kommen sehen, denn sobald sie das Krankenhaus betraten, waren mehrere Schwestern an Sabines Seite, die ihr Margot abnahmen.

»Rapido, rapido«, hörte Sabine, dann wurde Margot weggebracht.

Sabine holte Luft. Sie war in einem Krankenhaus. Die Geräusche, die Gerüche, das Weiß überall. Obwohl es warm war, fröstelte sie. Sie hasste Krankenhäuser.

»Was hat sie bloß?«, fragte Laura leise. Sie hatte ihre Arme fest um den Körper geschlungen und sah in diesem Augenblick sehr, sehr jung aus.

Sabine trat von einem Fuß auf den anderen. »Ich parke das Auto um«, sagte sie schließlich und flüchtete aus dem Krankenhaus.

Sie konnte noch sehen, wie Laura die Augenbrauen unwillig zusammenzog, dann war sie schon draußen. Als sie ein paarmal tief durchgeatmet hatte, ging es ihr gleich besser. Sabine stieg ins Auto und suchte einen freien Platz in der Krankenhaustiefgarage. Als sie das Auto abgestellt und ihren Koffer an sich genommen hatte, bemerkte sie einen Mann, der einige Plätze weiter in seinem Wagen saß und zu ihr herüberstarrte. Schnell schloss Sabine ab und machte sich zurück auf den Weg zu Laura.

»Der Mann, von dem du geglaubt hast, er verfolgt uns«, begann Sabine, als sie sich neben Laura auf einen Plastikstuhl im Eingangsbereich setzte, »wie sah der aus?«

»Lass uns nicht wieder streiten.« Laura klang genervt. »Ihr habt sicher recht, ich habe mich vertan. Weshalb sollte jemand hinter uns her sein?«

Sabine nickte.

»Gleich kommt ein Arzt und sagt uns Bescheid. Nur, falls dich Margot auch noch interessieren sollte«, sagte Laura. Sie sah auf Sabines Aktenkoffer. »Ah, klar, das ist natürlich wichtiger.«

Krankenhäuser. Sie hatten keine gute Wirkung auf Menschen. Sabine wippte unruhig mit dem Fuß auf und ab.

»Ich hole uns einen Kaffee«, sagte sie schließlich und stand auf.

Es gab eine Cafeteria, in der ein Automat stand. Sabine zog sich einen Cappuccino, der scheußlich süß war. Als sie sich umdrehte, stand der Mann im grauen Trench hinter ihr. Es war derselbe Mann, den sie in der Tiefgarage im Auto gesehen hatte.

Sabine wich einen Schritt zurück. »Was wollen Sie?«

Der Mann lächelte und hob entschuldigend die Hände. »Einen Espresso?« Er deutete auf den Kaffeeautomaten.

Sabine kniff die Augen zusammen. »Warum verfolgen Sie mich?«

19

Margot erwachte mit hämmernden Kopfschmerzen. Um sie herum war es weiß, und etwas piepste beharrlich. Sie stöhnte. Konnte das nicht abgestellt werden?

»Du bist wach!«

Jemand fiel ihr um den Hals, und Margot stöhnte noch etwas mehr. Sie öffnete vorsichtig ein Auge. Dann das andere. Da war Laura. Das Mädchen strahlte, Tränen liefen ihr die Wangen hinunter.

»Was ist los?«, fragte Margot. Sie sprach etwas undeutlich und konzentrierte sich beim nächsten Satz. »Ist etwas passiert?«

»Ach, du Dumme!« Laura tätschelte ihre Schulter. »Du hast mir einen ganz schönen Schrecken eingejagt.«

Langsam nahm Margot ihre Umgebung wahr. Ihr dämmerte etwas.

»Ich bin im Krankenhaus?«

Erschrocken setzte sie sich auf, was zur Folge hatte, dass ihr Kopf noch mehr schmerzte. Jetzt erst bemerkte sie, dass eine Nadel in ihrem linken Arm zu einem Tropf führte.

»Du warst dehydriert«, erklärte Laura. »Der Arzt war vorhin da.« Sie schüttelte den Kopf. »Ich dachte, du hättest einen Schlaganfall oder so was.«

»Ich war bewusstlos ...« Margot setzte die fehlenden Erinnerungsstücke zusammen. »Ihr habt mich ins Krankenhaus gebracht?«

Laura nickte.

Margot brauchte einen Moment, um sich zu sammeln. »Bewusstlos ...«, wiederholte sie. »Du meine Güte.«

»Es ist nicht schlimm, hat der Arzt erklärt.« Laura sprach schnell, als wolle sie Margot beruhigen. »Du musst nur darauf achten, mehr zu trinken. In deinem Alter ...« Sie brach ab.

Margot zog an der Bettdecke. Wie konnte das passieren? Sie hatte nicht weniger getrunken als sonst auch. Aber sie hatte mehr geschwitzt ...

Bevor sie sich bei Laura für ihre Hilfe bedanken konnte, kam eine Krankenschwester ins Zimmer. Sie lächelte, sagte etwas auf Italienisch und verdeutlichte Margot schließlich in Zeichensprache, dass sie ihr den Tropf abnehmen würde.

Als die junge Frau die Nadel herausgenommen und ein Pflaster auf die Einstichstelle geklebt hatte, rieb Margot sich erleichtert den Arm. Die Infusion hatte nicht wehgetan, aber ihre Muskulatur war verkrampft.

»Muss ich hierbleiben?«, fragte Margot. »Oder kann ich gehen?«

»Der Doktor meinte, du solltest die Nacht über bleiben.«

»Nein, auf keinen Fall.« Margot sah sich nach der Schwester um. »Ich entlasse mich. Sonst schaffen wir es nicht in einer Woche nach Sizilien.«

»Du willst weiterfahren?« Laura riss die Augen auf. »Du wärst beinahe gestorben! Wir sollten deinen Sohn anrufen, und dann bringen wir dich nach Hause.«

»In ein Altersheim?« Margot presste die Lippen zusammen.

»Vielleicht«, Laura sah auf ihre Hände, »vielleicht ist das nicht die schlechteste Idee.«

Das war es also. Die ganze Welt hatte sich gegen sie verschworen. Erst Daniel, jetzt Laura. Und ihr dummer Körper ebenfalls, was musste sie auch einfach ohnmächtig werden?

»Wir hatten einen Deal«, sagte Margot nachdrücklich. »Eine Woche Italien, danach fährst du zurück zu deinen Eltern, und ich … gehe ins Altersheim.«

Es wäre weniger schlimm, wenn sie wenigstens die Erinnerungen mitnehmen könnte. Sie würde nicht kampflos aufgeben, Laura hatte genauso viel zu verlieren wie sie.

Laura seufzte. Sie sah an die Decke, an die gegenüberliegende Wand, schließlich blickte sie Margot an.

»Wenn es dir schlechter geht, sag Bescheid. Und du musst viel trinken.«

Margot rollte mit den Augen. »Das habe ich verstanden.«

»Du hast ja nichts mitbekommen.« Laura runzelte die Stirn. »Ich hatte den ganzen Stress. Weißt du, wie furchtbar das war?«

»Ist ja schon gut. Ich verspreche dir hoch und heilig, Unmengen zu trinken in den nächsten Tagen.«

Zum Beweis ihres guten Willens nahm Margot einen großen Schluck aus dem Wasserglas, das auf dem Beistelltischchen stand. Vorsichtig schwang sie die Beine aus dem Bett und setzte die Füße auf den Boden. Das ging besser als erwartet. Sie schlüpfte in ihr Kleid und die Flip-Flops und schwankte nur einen kurzen Augenblick, als sie sich aufrichtete.

»Mir geht's gut«, sagte sie auf Lauras besorgten Blick hin. »Und jetzt will ich nach Rom.«

»Meinst du nicht, eine Nacht können wir das noch aufschieben? Nur zur Sicherheit?«

Margot rümpfte die Nase. Ganz bestimmt würde sie nicht im Krankenhaus bleiben. Das war ja noch schlimmer als ein Altersheim.

Die Tür öffnete sich erneut, diesmal war es Sabine, die mit ihrem Aktenkoffer in der Hand eintrat. Sie wirkte angespannt.

»Können wir gehen?«, fragte sie.

»Schön, dich auch noch mal zu sehen.« Laura

schob den Unterkiefer vor, aber Sabine ging nicht auf sie ein.

Also nickte Margot und marschierte nach draußen.

Die Schwester runzelte die Stirn, als sie Margot sah, ließ sie aber schließlich ohne Umstände gehen. Vermutlich brauchten die italienischen Krankenhäuser ihre Betten genauso dringend wie die deutschen. Während Margot Formulare ausfüllte, hielt Laura ihr unentwegt eine Wasserflasche hin. Sabine trommelte mit den Fingern auf der Anmeldungstheke herum, mit gestrafften Schultern sah sie immer wieder den Gang hinunter.

Weil sie privat versichert war, wollte das Krankenhaus, dass Margot ihre Rechnung sofort bezahlte. Ihre Handtasche lag noch im Auto.

»Laura, kannst du mal …?«, fragte Margot.

»Das dauert zu lang. Hier.« Sabine griff in ihre Brusttasche und holte ein Bündel Geldscheine heraus. Sie zählte es ab, legte es der Krankenschwester hin und fasste Margot unter. »Los dann.«

Margot ließ sich zum Auto führen, als Laura ihr dann aber beim Einsteigen helfen wollte, weigerte sie sich, die Scharade der tödlich Kranken weiter mitzumachen.

»Ich bin doch nicht invalide«, rief sie. »Ich brauch nur eine Kopfschmerztablette.«

Die kramte sie aus ihrer Handtasche hervor, dann

setzte sie sich auf den Beifahrersitz. Sie nahm einen großen Schluck aus Lauras Wasserflasche.

»Beim nächsten Supermarkt kaufen wir Wasservorräte«, sagte Laura.

Margot seufzte und stupste Sabine auf dem Fahrersitz an. »Such ein Hotel!«

20

Wieder wachte Laura in aller Herrgottsfrühe auf. Halb sieben. Wenn sie zur Schule musste, war ihr sieben Uhr zu früh, und sie schlug jedes Mal wütend auf ihren Wecker ein. Und nun wachte sie von selbst so früh auf. In letzter Zeit schien sie kaum noch zu schlafen. Sie checkte ihr Handy. Eine SMS von Sina – *Du sollst nur für Matthias unerreichbar sein, nicht für mich! Geh an dein Handy!* –, keine Nachricht von Matthias. Laura vergrub ihren Kopf im Kissen. Was war mit ihm los? Hatte er sie über die rote Rosa komplett vergessen?

Es klopfte an der Zimmertür. Margot rührte sich nicht. Einen Augenblick war Laura besorgt, dann hörte sie den regelmäßigen Atem. Sie stand auf und öffnete die Tür einen Spalt. Draußen stand Sabine in ihrem blauen Blümchenkleid. Konnte sie sich von dem vielen Geld nicht mal etwas anderes zum Anziehen leisten?

»Was machst du denn schon so früh hier?«, fragte Laura.

Auf Sabine hatte sie überhaupt keine Lust. Ihr

Verhalten im Krankenhaus am Abend zuvor war unmöglich gewesen.

»Rom wartet.« Sabine zog bedeutungsvoll eine Augenbraue hoch. »Von hier aus ist es noch ein gutes Stück, wir wollen doch so früh wie möglich da sein.«

»Wo sind wir eigentlich?« In der Aufregung um Margot hatte Laura nichts mehr von ihrer Umgebung wahrgenommen.

»In Orvieto, etwa auf der halben Strecke zwischen Rom und Florenz.«

Laura schaltete ihr Handy aus und schob es in die Hosentasche. Das Gras wächst nicht schneller, wenn man daran zieht, sagte ihre Mutter immer. Sie würde an diesem Tag nicht mehr auf ihr Handy sehen.

»In zwanzig Minuten treffen wir uns am Frühstückstisch.«

Sabine nickte, und Laura schloss die Tür. Sie duschte, zog sich an und bemühte sich dabei nicht, leise zu sein, bis Margot irgendwann die Augen öffnete.

»Wie geht's dir?«, flüsterte Laura.

Margot stöhnte. »Wenn du mich das noch einmal fragst, breche ich die Reise freiwillig ab!«

»Entschuldige. Aber dann steht ja einem Ausflug nichts mehr im Weg. Also: Rom. Und Tomaten.«

Laura schnappte sich den Reiseführer von Margots Nachttisch und wedelte der älteren Freundin damit vor der Nase herum. Mit Speck fängt man

Mäuse, dachte sie – ein anderes Sprichwort ihrer Mutter.

Sie wollte nicht allein mit Sabine frühstücken, also wartete sie, bis Margot ihre Zähne geputzt, die Haare gekämmt und ihr Kleid übergestreift hatte. Sie hatte sich in Florenz ein neues gekauft.

Sabine wartete schon am Frühstückstisch der kleinen Pension. »Du bist übrigens nicht allein«, sagte sie zu Margot und hielt eine Zeitung in die Höhe.

Laura runzelte die Stirn. »Das ist ja Italienisch.«

Sabine zuckte mit den Schultern.

»Du sprichst Italienisch?«

Wieder ein Schulterzucken, und Laura gab es auf. Sie genoss lieber ein *cornetto* und einen Kakao, als Sabine ein paar Wörter aus der Nase zu ziehen.

»Warte.« Margot versuchte, die etwas kleinere Schlagzeile am unteren Rand zu entziffern, auf die Sabine deutete. »Irgendwas mit Kunst?«

Sabine nickte. »Es gibt offenbar neue Graffiti in Rom. Der Graffitikünstler schlägt zumeist nachts zu, aber es sind auch schon Bilder am Tag aufgetaucht.«

»Dann muss ich wohl besonders aufpassen.« Margot strahlte.

Weshalb liebt sie ihre illegalen Aktivitäten nur so?, dachte Laura, schob jedoch den Gedanken daran, dass ihr Weglaufen ebenfalls eine Art illegaler Aktivität war, beiseite.

»Die Römer sind sich uneinig, ob es Schmiererei oder Kunst ist«, fuhr Sabine fort. »Die einen halten ihn für den römischen Banksy, die anderen wollen ihn hinter Gittern sehen. Er hat es zwar nicht auf berühmte Gebäude abgesehen«, Sabine warf Margot einen Blick zu, »aber er hat schon die ein oder andere Sehenswürdigkeit erwischt.«

»Ein Nachmacher«, rief Margot entrüstet.

»Das Ordnungsamt hat jedenfalls ein Auge auf die Sehenswürdigkeiten«, schloss Sabine.

»Wann brechen wir auf?« Margots Kampfgeist schien geweckt.

Laura befürchtete das Schlimmste. »Trink erst mal einen Kaffee.« Sie schenkte Margot ein. »Besser wäre allerdings ein Beruhigungstee. Der Arzt hat gesagt, du sollst viel trinken«, fügte sie auf Margots vorwurfsvollen Blick hinzu.

»Auf mich werden sie bestimmt nicht achten, die Ordnungshüter.« Margot nahm ihre Tasse und spreizte geziert den kleinen Finger dabei ab. »Ich zeig diesem Jungspund, wie ein echter Profi das macht.« Lächelnd nahm sie einen Schluck Kaffee und griff dann beherzt nach einem Toast. »Na, dann wollen wir uns mal stärken für den Tag.«

Es war nicht mehr weit bis Rom. Zwei Stunden später hatten sie in einem Hotel eingecheckt und waren schon wieder unterwegs.

»Ich brauche ein Foto von einem Gladiator«, kündigte Laura an.

In ihrer Unterkunft hatten Broschüren ausgelegen, auf denen Gladiatoren als Touristenattraktion angekündigt waren. Sie trugen Bauchpanzer, die würden sich großartig machen auf einem Foto.

»Und ich möchte ein Foto *mit* einem Gladiator!« Margot wedelte mit ihrem Reiseführer.

Sie bekam es. Vor dem Kolosseum hatten sich genug Gladiatoren versammelt, Margot bekam sogar einen Helm.

»Fantastisch«, kommentierte sie und verstaute das Bild sorgfältig in ihrer Handtasche. Dann begutachtete sie Lauras Foto.

»Zur Abwechslung mal ein muskulöser Bauch«, erklärte Laura, »auch wenn der Brustpanzer das nur vortäuscht.«

Sie reihten sich in die Schlange vor dem Eingang ein. Zwei junge Polizisten schlenderten gemächlich zu einem Getränkestand. Hielten sie Ausschau nach einer von ihnen? Margot sah ebenso besorgt aus wie sie selbst. Aber die beiden Polizisten schienen sich nicht für Touristinnen zu interessieren. Auch nicht für große Dunkelhaarige in einem blau geblümten Kleid. Sabine selbst blieb unbeeindruckt von der Polizei. Ganz schön abgebrüht. Laura hatte keine Ahnung, wie die Kommunikation zwischen den verschiedenen Ländern klappte. Vielleicht wussten die

Italiener noch gar nichts von der flüchtigen Bankräuberin.

Das Kolosseum war riesig, aber von außen interessanter als von innen, fand Laura. Irgendwie waren die grasüberwucherten Steine in der Arena enttäuschend. Sie hatte einen Sandplatz erwartet. Käfige. Etwas, das den Kampfplätzen in *Gladiator* näher kam. Stattdessen gab es einen verwitterten Platz und Tribünen, von denen sich Laura beim besten Willen nicht vorstellen konnte, dass dort einmal Kaiserinnen gesessen haben sollten. Wo blieb der Prunk?

»Das war ja gar keine Herausforderung«, jammerte Margot, als sie sich wieder aufrichtete.

Niemand hatte sich für die alte Dame interessiert, die sich mitten in der Arena niedergekniet hatte. Dass sie etwas gemalt hatte, war keinem aufgefallen.

»Das Rot deiner Tomaten macht sich hübsch zwischen dem Grün.«

Laura wollte Margot zwar nicht noch anstacheln in ihrem gefährlichen Graffitifieber, aber ihr Nagellackbild gab dem Kolosseum nach der Enttäuschung des fehlenden Kampfplatzes den besonderen Kick.

»Nicht wahr? Dieser aufstrebende römische Nachmacher kann sich noch eine Scheibe von mir abschneiden.« Stolz ging Margot voran zum Ausgang.

Das Forum Romanum gefiel Laura besser. Hier gab es auch viel Gras, aber die Ruinen waren noch so gut erhalten, dass sie sich das rege Treiben zweitausend Jahre zuvor zwischen den Tempeln vorstellen konnte. Sie stolzierte zwischen einem Gebäude auf der rechten Seite und ein paar Steinen auf der linken umher, neigte königlich den Kopf, um römische Senatoren zu begrüßen. Wie hatte die Frau von Augustus noch geheißen? Ihr Haus sollte auch irgendwo hier stehen. Wenn Matthias sie so sehen könnte … Laura wischte sich schnell über die Augen und wedelte imaginären Bediensteten zu. Ja, hier konnte sie sich den Prunk ausmalen.

»So muss sich eine römische Kaiserin gefühlt haben.« Margot schirmte die Augen mit der Hand gegen die Sonne ab. Sie sah auf ihre Flip-Flops. »Römische Kaiserinnen hatten furchtbar kompliziert zu bindende Sandalen.«

Sabine setzte sich auf eine Bank und hielt ihre Füße in die Höhe. »Damals gab es noch keine Flip-Flops und keine Turnschuhe.« Sie schüttelte den Kopf. »Eine traurige Zeit.«

Nachdem sie auch den Palatin besichtigt hatten – »Es gibt eine Kombikarte, Laura. Sparsamkeit ist eine Tugend!«, hatte Margot gesagt –, brauchte Laura eine Pause.

»Ich kann nicht mehr«, stöhnte sie.

Langsam hatte sie genug von historischen Gebäuden. Vor allem von den Treppen, die sie dort hinauf- und hinunterlaufen mussten. Wie kam es, dass

Margot so frisch aussah? Gestern war sie noch umgekippt, und heute konnte sie rennen wie ein Hase!

»Du gehörst definitiv nicht ins Altersheim«, entschied Laura. »Du läufst den Pflegern ja davon.«

»Das kommt vom vielen Trinken.« Margot zwinkerte ihr zu. »Und natürlich vom gesunden Essen. Tomaten halten jung.«

Sabine lachte.

»Ich will mich jedenfalls mal setzen. Ob das Café da vorn Tourinepp ist, ist mir egal.«

»Und ich muss mal wohin. Das viele Trinken …« Margot schlug ihren Reiseführer, den sie nie aus der Hand legte, auf. »Außerdem will ich ohnehin noch etwas nachlesen.«

Sabine beschloss, eigene Wege zu gehen. »Ich werde mir Rom mal ein bisschen allein ansehen«, sagte sie.

»Heute Abend um sechs am Hotel!«, rief Margot ihr nach.

Ohne sich umzudrehen, hob Sabine die Hand. Weg war sie.

Laura setzte sich in einen Stuhl und lehnte sich seufzend zurück. »Oh, tut das gut!«

Margot, die bei jeder Gelegenheit in der Sprachanleitung im Anhang ihres Reiseführers nachsah, bestellte mit ihren neu erworbenen Italienischkenntnissen zwei Cappuccinos. *Due* und *grazie* konnte sie schon perfekt.

»Was heißt denn noch mal ›Rechnung‹?« Sie blätterte in dem Büchlein.

Laura spielte mit ihrem Handy. Anstellen oder nicht anstellen? Was, wenn er sich gemeldet hatte? Was, wenn nicht? Sie ließ ihren Blick schweifen. Direkt neben dem Café befand sich eine *tabaccheria,* das blaue Zeichen prangte über der Tür. Der Besitzer schob einen Zeitungsständer auf die Straße. Er verkaufte auch die *Bild.* Die Unruhe war zurück. Suchten ihre Eltern sie noch, oder hatte die SMS gereicht? Was war mit der Bankräuberin?

»Bin gleich wieder da.«

Sie stand auf und ging hinüber zu dem Tabak- und Zeitschriftengeschäft. Noch während sie im Laden war, schlug sie die ersten Seiten der Zeitung auf. Das durfte doch nicht wahr sein! Sie knallte drei Euro auf die Theke, wartete nicht einmal das Wechselgeld ab und stürzte zurück zum Café.

»Hör zu!«

Margot war so in ihren Reiseführer vertieft, dass sie nicht gleich aufsah.

»Margot, hör zu!« Laura hätte ihr beinahe den Ellenbogen in die Seite gestoßen.

»Was ist?« Margots Lippen bewegten sich lautlos, als sie die Schlagzeile las. »*Erste Spur im Fall des Bankraubs von Innsbruck.* Oh!«

Das war die Überschrift. Was folgte, war noch schlimmer.

Laura las leise vor: »*Offenbar stimmten die Vermutungen der österreichischen Polizei. In Verona wurde ein Hotelbesitzer auf drei Frauen aufmerksam, die fluchtartig ihre Zimmer verließen. Die Polizei hat Kleidungsstücke und Hygieneartikel sichergestellt.*«

»Die halten uns für die Komplizinnen?« Margots Stimme war nicht mehr als ein Flüstern.

Laura nickte. »Es wird nicht besser.« Sie deutete auf den nächsten Artikel. »*Das Verschwinden der jungen Laura S. aus München wirft weitere Rätsel auf. Die Eltern schließen einen Entführungsfall nicht aus.*«

»Laura!« Margot riss die Augen auf. »Ich werde nicht nur des Bankraubs verdächtigt, jetzt werde ich tatsächlich auch noch wegen Kidnapping gesucht!«

»Das ist immer noch nicht alles.« Lauras Stimme zitterte.

»O Gott im Himmel, bleibt mir denn nichts erspart? *Seit einigen Tagen wird die Rentnerin Margot W. aus Landshut vermisst. Die 73-Jährige sei unter Umständen verwirrt und nicht ansprechbar, erklärte ihr Sohn. Die Polizei bittet um Mithilfe.*«

In Margots Gesicht zuckte es. Laura legte eine Hand auf ihren Arm.

»Wir klären das auf! Wenn du möchtest, gehen wir sofort zur Polizei! Ich krieg das schon hin mit meinen Eltern.«

Margot blinzelte. Dann brach sie in schallendes Gelächter aus. Laura hätte mit allem gerechnet, nur nicht damit. Vielleicht war das der letzte Tropfen gewesen, der das Fass zum Überlaufen gebracht, beziehungsweise Margot in altersbedingte Demenz getrieben hatte?

»Besser geht es nicht! Ich muss gar nicht mehr alt und tattrig tun, Daniel hat das für mich erledigt. Da kann ich dann ganz einfach auf Unzurechnungsfähigkeit plädieren.« Margot grinste. »Jetzt sind wir wohl alle drei auf der Flucht. Vor der Polizei, vor deinen Eltern, vor meinem Sohn.«

Laura fand die Situation nicht zum Lachen. Ihre Eltern wollten sie nach Hause zwingen, ob Matthias sich inzwischen gemeldet hatte, bezweifelte sie, und sie selbst wurde wegen eines Banküberfalls gesucht.

Margot strahlte über das ganze Gesicht. »Oh, ist das aufregend! Das sollten wir feiern. Wir sollten uns einen Joint besorgen, das passt doch genau zu unserer Geschichte, oder?«

Sie machte einen Witz. Da war Laura sich sicher. Margot machte nur einen Witz.

Oder?

21

Margot schlenderte in der Spätnachmittagssonne umher und genoss die Wärme, die alten Gebäude, die vielen Menschen um sie herum, die von der Arbeit kamen oder Touristen waren wie sie.

Sie war allein unterwegs, Sabine war noch nicht wieder aufgetaucht, und Laura hatte eine späte Siesta machen wollen. Sie selbst war zwar auch müde, aber sie wollte sich keine Gelegenheit entgehen lassen, Rom zu entdecken. Wer wusste schon, wie viel Zeit ihnen noch blieb? Vielleicht waren die Polizei und Daniel ihnen schon auf der Spur.

Daniel … Margot seufzte. Die Flip-Flops an ihren Füßen fühlten sich so gut an. Wie sollte sie nur je wieder nach Hause können und in ein Altersheim ziehen? Aber allein bleiben, ohne Daniels Unterstützung? Wie sollte sie das anstellen? Sie war ohnmächtig geworden, sie hatte Angst vor Verfolgern, und bei dem Überfall hatte sie furchtbar reagiert – wie eine ängstliche alte Frau eben. Vielleicht war es Zeit, der Wahrheit ins Gesicht zu sehen.

Mit ihrem Reiseführer unter dem Arm trat sie auf

die Piazza Navona. Die Sonne fiel schräg zwischen den Häusern ein und blendete sie, Margot musste eine Hand über die Augen legen, um den Vierströmebrunnen in der Mitte des Platzes überhaupt zu erkennen.

Neben ihr stand eine Gruppe französischer Touristen, ein paar Schüler spielten Fußball. Jugendliche lümmelten in der Nähe des Brunnens, sie hatten Musik aufgedreht, einer machte Bewegungen dazu, die sehr sportlich aussahen. Sie würde Laura später fragen müssen, wie so ein Tanz hieß.

Margot schlug ihren Reiseführer auf. *Die einzigartige Anlage symbolisiert die vier damals bekannten Kontinente. Die Flussgottheiten in Männergestalt stellen die personifizierten Flüsse Nil, Donau, Ganges und Río de la Plata dar,* las sie. Margot umrundete den Brunnen. *Durch die verschiedenen Tier- und Pflanzendarstellungen lassen sich die Figuren den jeweiligen Flüssen zuordnen.* Das war nicht hilfreich.

Die französische Reiseführerin rief ihre Gruppe zusammen. Die Schulkinder schossen gerade ihren Ball in den Brunnen, ein älterer Italiener rief ihnen etwas zu.

Margot schulterte ihre Handtasche und marschierte auf die Jugendlichen zu. Es waren vier junge Männer, drei von ihnen trugen Unterhemden zu ihren viel zu weiten Jeans, einer hatte gar kein T-Shirt an.

»*Scusi*«, begann Margot.

Dann wusste sie nicht weiter und deutete einfach auf den Brunnen. Sie hoffte, das Fragezeichen in ihrem Gesicht war groß genug.

Die jungen Männer sahen sich an. Schließlich fragte einer: »Deutsch?«

»Großartig!« Margot strahlte. »Können Sie mir vielleicht mit dem Brunnen helfen?«

»Sie möchten ein Foto?« Er sprach zwar mit Akzent, aber fehlerfrei.

»Ich möchte eine Information.« Margot hielt ihren Reiseführer hoch. »Die Männer dort sollen vier Flüsse sein: Nil, Ganges, Donau und Río de la Plata. Aber welcher ist welcher?«

»Aaah!«

Der junge Italiener grinste über das ganze Gesicht und sagte in schnellem Italienisch etwas zu seinen Freunden. Die sprangen auf und liefen zum Brunnen.

»Wir haben das in der Schule gelernt«, erklärte der frisch gebackene Dolmetscher und erklärte der Reihe nach die verschiedenen Flüsse.

»Ich denke, mir gefällt der Nil am besten.« Margot schraubte das Fläschchen mit dem roten Nagellack auf, hockte sich hin und verewigte sich auf dem Brunnen. Wenn das so weiterging, brauchte sie bald ein neues. Es gab einfach zu viele Sehenswürdigkeiten in Rom. »Mein Sohn soll wissen, dass ich hier war.«

Ihr Dolmetscher schüttelte ungläubig den Kopf. »Ihr Sohn mag die Muppets?«

»Das sind Tomaten!«

Laura hatte auch von Muppets gesprochen. Wussten die jungen Leute heutzutage nicht mehr, wie richtiges Gemüse aussah? Margot stand auf und suchte nach ihrem Portemonnaie.

»Nein, nein«, wehrte der junge Mann ab. »Reiseführung ist umsonst.« Er grinste wieder. »Vielleicht wollen Sie etwas mit uns trinken?«

Die vier liefen wieder zurück zu ihrem Platz, wo ein CD-Player und eine Tasche mit Getränkedosen standen.

Sollte sie wirklich mit ein paar italienischen Halbwüchsigen etwas trinken? Beinahe hätte Margot laut gelacht. Wenn Daniel sie so sehen könnte! Die jungen Italiener waren höchstens halb so alt wie er, und sie dachten sicher nicht, sie gehörte ins Altersheim. Ha. Ich hab Urlaub, fuhr ihr durch den Kopf, wundervollen Urlaub. Sie setzte sich auf eine kleine Steinmauer.

»Aber lasst euch warnen: Meine Begleiterin bricht Menschen, die mir die Handtasche stehlen wollen, die Nase.«

Ihr Dolmetscher lachte, reichte ihr ein Dosenbier und stieß mit ihr an. »Ich arbeite in Deutschland«, sagte er. »In Köln. Im Sommer fahre ich immer nach Italien. Deutschland ist schön, aber Italien ist schöner.«

»Dolce vita«, rief Margot.

Ihr Begleiter nickte zufrieden. Margot nahm einen großen Schluck Bier, es war lauwarm. Aber sie fühlte sich frei. Und unglaublich jung. Sie dachte an ihre letzte Unterhaltung mit Laura.

»Sagt mal, verkauft ihr auch Marihuana?« Menschen, mit denen man lauwarmes Dosenbier trank, sollte man duzen, fand Margot.

»Bist du von der Polizei?« Der junge Italiener sah das offenbar ebenso.

Margot strich sich durch die silbergrauen Locken. »Wann gehen Polizisten bei euch in Pension?«

Das entlockte ihm ein Grinsen. Er beriet sich kurz mit seinen Freunden. Einer griff in seine Hosentasche, und nach einigem Gepfeife und Gejohle hatten sie tatsächlich ein paar Milligramm Marihuana für Margot abgepackt. Stolz steckte sie sie ein. Wenn Daniel sie schon für verrückt hielt, konnte sie wenigstens ein paar wilde Dinge tun. Die Wahrheit konnte noch ein paar Tage warten.

22

Sabine musste nachdenken. Sie hatte sich durchge-
fragt bis zur nächsten Grünfläche und trabte nun
durch den Park Villa Borghese. Hier waren weniger
Menschen, man konnte laufen, ohne sofort jemandem in die Hacken zu treten. Es ging etwas bergauf,
und Sabine war froh über die kleine Anstrengung, die
ihr der Weg bot. Im Gras unter den Bäumen lagen
junge Leute, ließen die Seele baumeln oder lernten.
Sabine schüttelte ihre Schultern aus und schloss einen Moment die Augen. Das Summen der Insekten
des beginnenden Frühlings beruhigte sie.

Offenbar hatte ihre Drohung nicht geholfen, jemand war hinter ihr her. Aber was wollte der Mann
im grauen Trenchcoat? Er hatte sich dumm gestellt,
als Sabine ihn angesprochen hatte.

Ich will nichts von Ihnen, wie kommen Sie denn
darauf?, hatte er gesagt und sie zu einem Kaffee ein-
geladen. Dann folgten Komplimente. Sie haben unglaublich schöne Augen, wissen Sie das?

Der Kerl hatte Sabine nervös gemacht. Er hatte einen versteckten Plan, das gefiel ihr nicht. Sie

war sich sicher, ihm körperlich überlegen zu sein, er war zu hager. Aber wenn er sie verunsichern wollte, um dann überraschend zuzuschlagen, war ihm das gelungen. Das Geld im Aktenkoffer schien plötzlich schwerer zu wiegen. Was hatte sie sich nur dabei gedacht? Gab es schon Fahndungsfotos von ihr?

Ein Mädchen, das Werbezettel verteilte, kam Sabine entgegen.

»*Grazie*«, sagte die junge Frau, als Sabine die Hand ausstreckte.

Sie hatte dickes, glänzendes Haar, ein ebenmäßiges Gesicht, das dezent geschminkt war, und lange Beine. Sabine blickte ihr nach.

Sie selbst war nicht hübsch, das wusste sie. Sie hatte keine schönen Augen und eine schiefe Nase vom Boxen. Ihre Schultern waren zu breit, die Taille nicht schmal genug. Robert hatte es ihr oft genug gesagt. Und es stimmte. Ein Blick in den Spiegel, und sie hatte den Beweis.

Sie sah auf den Zettel, den ihr das schöne Mädchen in die Hand gegeben hatte. Es war Werbung für einen Friseursalon. Sabine griff sich in ihre Haare, zupfte etwas an den ausgetrockneten Spitzen. Schulterlang waren sie schon immer gewesen.

Wenn du sie lang tragen würdest, könntest du sie ins Gesicht fallen lassen, das könnte deine Nase etwas verdecken, hatte Robert ihr nicht nur einmal gesagt. Natürlich hatte er auch damit recht gehabt, aber ihre Haare wollten einfach nicht über die Schultern hinauswachsen. Veranlagung vielleicht.

Sabine hatte sich immer einen kurzen Bob gewünscht. Etwas Praktisches, das sie beim Training kaum Zeit kostete. Etwas Freches, Junges. Sie stellte sich vor auszusehen wie die lebenslustigen Covermodelle der Frauenzeitschriften. Aber die zogen winzig kleine Nasen kraus, sie würde lächerlich aussehen damit.

Was du dir nur immer einbildest, sagte sie sich.

Sabine drehte den Werbezettel hin und her. Sie würde ihn wegwerfen, er frustrierte sie nur. Sie bog nach rechts ab, um den Park zu verlassen, am Ausgang gab es einen Mülleimer. Auf der Rückseite des Zettels war eine Wegbeschreibung vom Park zum Friseursalon. Flausen, dachte sie, du hast schon wieder Flausen im Kopf.

Aber was, wenn sie ganz anders aussah mit kurzen Haaren? Was, wenn sie sich neue Kleidung kaufte, zu einer neuen Person wurde? Würde man sie noch so leicht wiedererkennen?

Sabine marschierte entschlossen durch den Torbogen des Parks, den Werbezettel fest in der Hand.

23

Laura wachte mit trockenem Mund auf. Die Luft im Hotelzimmer war stickig. Sie stand auf, öffnete ein Fenster und gähnte. Trotz ihrer kleinen Siesta – na ja, es war eher ein Nachmittagsschlaf – war sie müde. Hing das mit den Hormonen zusammen? O Gott, wann würde die morgendliche Übelkeit anfangen? Der Heißhunger auf saure Gurken und Schokolade? Laura wurde schlecht, sie musste sich setzen. Warum musste auch immer ihr so was passieren? Und jetzt war sie allein, mutterseelenallein bis auf die Tatsache, dass sie schwanger war. Sie schaltete ihr Handy ein, kein Anruf von Matthias, keine Nachricht. Am liebsten hätte sie das Telefon in die Ecke gepfeffert. Aber was, wenn Matthias sich doch noch meldete? Was sollte sie ihm dann sagen?

Sie zog ihr T-Shirt hoch. War ihr Bauch dicker geworden? Sie machte ein Foto und verglich es mit dem, das sie aus der Innsbrucker Jugendherberge gespeichert hatte. War da eine kleine Wölbung? Nein, das war nicht möglich nach nur ein paar Tagen. Es waren sicher die italienischen Nudeln.

Matthias, Matthias, Matthias … Er ging ihr nicht aus dem Kopf. Weshalb meldete er sich nicht? Sie schickte eine SMS an Sina. Vielleicht wusste die etwas.

Laura stand langsam wieder auf, ging ins Bad und spritzte sich Wasser ins Gesicht. Die Kühle tat ihr gut. Was jetzt? Warten, bis Margot zurückkkam? Laura seufzte und nahm ihre Tasche. Warum nicht auch einen kleinen Stadtbummel machen? Das würde von Matthias ablenken, solange sie auf Sinas Antwort wartete.

Draußen atmete Laura einmal tief durch, aber frisch war die Luft hier in Rom nicht, zu viele Abgase. Konnte das dem Baby schaden? Laura schüttelte den Kopf. Dramatik war doch sonst nicht ihr Ding. Wenn Sina heulte und Herz- und Weltschmerz heraufbeschwor, blieb sie immer cool. Resolut schob sie alle Gedanken beiseite und konzentrierte sich aufs Gehen.

Die Via del Corso hatte einen ebenso schmalen Bürgersteig wie die Straßen in Florenz. Aber es waren noch mehr Menschen unterwegs. Laura war froh, dass sie sich in die kleinen Geschäfte flüchten konnte. Menschenmassen konnte sie nicht ausstehen.

Sie sah sich in dem Shop um, den sie betreten hatte. Vor einem Ständer mit Schlüsselanhängern blieb sie stehen. Dort hingen Babysöckchen. Der Verkäufer betrachtete sie interessiert.

Laura riss ihren Blick los und tat so, als würde sie sich für die Schneekugeln interessieren. Der Mann kam näher.

»In zwei Stunden habe ich frei.«

Wieso sprach der Typ Deutsch? Woher wusste er, dass sie aus Deutschland kam? Und vor allem, wieso quatschte er sie an?

»Ich kann dir alle schönen Plätze Roms zeigen. Vor allem die Orte, die Touristen sonst nicht sehen.«

»Lass mich raten … Deine Wohnung?« Laura verzog das Gesicht.

Auf sein enthusiastisches Grinsen verließ sie schnell das Geschäft.

Im nächsten Laden gab es die gleichen Souvenirs wie im ersten. Laura war versucht, einen Magneten in Pizzaform zu kaufen. Das wäre ein fast so gutes Mitbringsel für Sina wie ein Zahnbürstenbällchen.

Ihr Handy piepste, eine SMS von Sina. *Die rote Rosa plant für Freitag einen romantischen Abend mit Matthias. Hat Melli erzählt. Sorry, Süße, es tut mir so leid! xoxo*

Laura ließ das Handy sinken. *Love is all around* stand auf einer der Postkarten auf dem Kartenständer.

Ein junger Mann stellte sich neben sie.

»*Ciao bella.*« Sein Lächeln war strahlend. »*You from England?*«

Er hatte kleine Grübchen, eine schwarze Locke fiel

ihm in die Stirn. Laura schluckte und dachte an Sina. Die italienischen Jungs sind der Hammer, hatte sie ihr nach dem letzten Sommer vorgeschwärmt. Natürlich nur, wenn man Sinn dafür hat, dachte Laura schnell und rief sich Matthias' Gesicht in Erinnerung. Seine Augen waren auch dunkel.

»Bist du von Deutschland?«

Bevor er noch nach Frankreich oder Spanien fragen konnte, sagte Laura schnell: *»Polska. Dzien dobry.«*

Das hatte ihr Sina beigebracht, deren Freund aus Polen stammte. Das deutsch-englische Sprachtalent kapitulierte vor Polnisch, und Laura hastete auf die Straße, bevor der Typ von irgendwo ein Wörterbuch herbeizauberte. Sie wollte sich nicht weiter verwirren lassen.

Hier in Italien konnte sie sich vor Avancen kaum retten, und Matthias schien sich überhaupt nicht für sie zu interessieren. Dabei wollte sie doch nur ihn! Matthias, der so gut Gitarre spielen konnte. Der Vater ihres Kindes! Laura hatte die Nase voll. Abrupt drehte sie sich um. Im Hotel würde sie als Erstes nach Margots Sprachführer fragen. Hoffentlich stand da drin, was »Lass mich in Ruhe« und »Halt die Klappe« auf Italienisch hieß. Sie freute sich nur noch auf eine Dusche und ein paar Minuten Ruhe.

Auf dem Weg zum Hotel wagte es niemand, Laura anzusprechen. Ob das daran lag, dass die Gegend flirtunfreundlicher war oder an ihrem Gesichtsausdruck, wusste sie nicht. Froh war sie trotzdem.

Bis sie kurz vor dem Hoteleingang eine Stimme hinter sich hörte.

»Was für eine fantastische Überraschung, dich wiederzutreffen!«

24

Buon giorno hieß guten Tag. Aber ab mittags sagten die Italiener schon *buona sera,* guten Abend. Wie sollte sich das einer merken? Margot saß in der Hotellobby und versuchte, Vokabeln zu lernen. Das hatte sie seit ihrer Schulzeit nicht mehr getan. Damals hatte sie es gehasst. Obwohl sie zugeben musste, dass ihre Lateinkenntnisse sich jetzt als nützlich erwiesen. *Veni, vidi, vici.* Die Italiener würden es »vitschi« aussprechen. Ja, Margot hatte in den letzten zwei Tagen trotz des vielen Autofahrens eine ganze Menge gelernt. Der Portier hatte sich gefreut, als sie ihren Zimmerschlüssel mit einem *Grazie* entgegengenommen hatte. Vokabellernen heute war unterhaltsamer als bei Studienrat Hartmann im Mädchengymnasium.

»Kennst du den?«

Margot sah auf. Sie hatte Sabine gar nicht kommen hören. Der dicke Teppich der Lobby schluckte selbst ihre schweren Schritte. Vermutlich hätte sie Sabine aber auch nicht erkannt. Sie schien beim Friseur gewesen zu sein. Statt der zotteligen, schulterlangen Haare trug sie einen frechen, nicht ganz kinnlangen Bob. Ein paar Fransen hingen ihr in die Stirn. Jetzt erst fielen Margot ihre schönen blauen Augen auf. Sabine sah um zehn Jahre jünger aus. Margot war sich nicht sicher, ob es nur die Frisur war.

»Du warst beim Friseur. Wie schön!«

Sabine zog irritiert die Augenbrauen zusammen. »Ob du den kennst«, wiederholte sie.

»Wen?« Margot klappte ihren Sprachführer mit den »Italienisch für Anfänger«-Tipps zu.

Sabine nickte in Richtung Eingang. Laura stand an der Rezeption und versuchte verzweifelt, den Mann neben ihr zu ignorieren. Der Rezeptionist telefonierte und nahm keine Notiz von ihr.

»Das darf doch nicht wahr sein!« Margot ließ ihren Sprachführer fallen. »Wie kommt denn Georg die Glatze hierher?«

Sabine sah sie fragend an, und Margot erzählte von der Jugendherberge Innsbruck, in der sie die arme Laura vor dem Mittvierziger gerettet hatte.

Sabine schüttelte den Kopf. Dann ging sie mit schwingenden Armen auf Georg zu.

»Hey!«

Ihre Faust schnellte vor, Georg taumelte und heulte auf, hielt sich mit schmerzverzerrtem Gesicht die Nase. Ein Aufschrei hinter ihnen. Margot sprang aus ihrem Sessel. Während ein Tohuwabohu um sie herum ausbrach, packte sie Laura am T-Shirt-Ärmel und zog sie nach draußen. Ein schneller Blick zurück zeigte ihr, dass Sabine folgte. Sie bog in eine Seitenstraße ein, dann in die nächste Gasse.

»Hat sie … hat Sabine …« Laura blinzelte.

Margot nickte.

»Sie kann doch nicht allen Leuten, die ihr nicht passen, eine reinhauen!« Laura warf die Arme in die Luft. »Georg hat nicht versucht, mich auszurauben!«

Margot blickte sie prüfend an.

Laura blieb stehen und drehte sich zu Sabine um. »Danke.« Sie holte tief Luft. »Georg mag es verdient haben. Aber du musst aufhören, gleich deine Faust in Gesichter zu rammen.«

»Wir versuchen, so wenig wie möglich aufzufallen«, sagte Margot langsam. »Nasenbeinbrüche fallen auf.«

»Okay.« Sabine seufzte. »Wenn's euch so wichtig ist.«

»Prima.« Margot strahlte. »Dann suchen wir uns jetzt ein nettes Lokal zum Abendessen.«

»Und was erklären wir dem Hotelmanager?«, jammerte Laura. »Oder verschwinden wir wieder fluchtartig, um eine neue Spur zu legen?«

»Ach, nicht doch.« Margot winkte ab. »Dem Rezeptionisten sagen wir gar nichts, dem schieben wir zwanzig Euro zu.«

»Spur?« Jetzt hörte auch Sabine zu.

»Laura ist bloß mal wieder paranoid«, versuchte Margot abzuwiegeln. Sie konnten Sabine ja schlecht erzählen, dass sie ihr auf die Schliche gekommen waren. »Weißt du noch? Auf der Fahrt hierher hat sie doch von diesem komischen Kerl erzählt.«

»Ich bin paranoid?« Laura stemmte die Hände in die Hüften. »Ich bin mit zwei Kriminellen unterwegs, die es cool finden, die Polizei anzulocken!«

»Nun übertreib nicht«, sagte Margot. »Georg hat eine dicke Nase verdient, und sonst ist überhaupt nichts passiert.«

»Hast du dich erwischen lassen?« Sabine ließ nicht locker.

»Wieso ich?« Entrüstet schaute Margot Sabine an.

»Du mit deinen Graffitis könntest dich auch weniger auffällig verhalten«, sagte Laura.

Margot verschränkte die Arme vor der Brust. »Graffitis tun niemandem weh.«

»Was soll das denn heißen?« Sabine zog die Augenbrauen zusammen.

»Dass Fäuste wehtun, was sonst«, warf Laura ein.

»Was haltet ihr von Pizza?« Margot seufzte. »So ein Streit auf leerem Magen gefällt mir nicht.«

»Wir könnten zur Abwechslung ja mal zahlen«, sagte Laura.

Margot hoffte, dass es in der Pizzeria auch guten Wein gab. Viel guten Wein.

25

Sabine bestand darauf, sie zum Abendessen einzuladen, wegen der Unannehmlichkeiten, die sie ihnen bereitet hatte. Laura war sich noch nicht sicher, was sie davon halten sollte. Sie versuchte, sich für eine der unzähligen Pizzasorten zu entscheiden. Aber Sabine lenkte sie ab. Ihre neue Frisur ließ weitere unschöne Gedanken aufkommen.

»Neuer Haarschnitt, neue Kleidung, du siehst ganz anders aus als vorher. Gibt's einen bestimmten Grund?«, fragte sie.

Sabine zuckte mit den Schultern, sie hob nicht mal den Blick von der Speisekarte.

»Ist schwerer, dich zu erkennen, was?«, hakte Laura nach.

Margot schnalzte mit der Zunge. »Sie hat es doch nur gut gemeint«, flüsterte sie.

Laura zuckte mit den Schultern. Georg war ihr egal. Er war tatsächlich ein ekelhafter Typ. »Es geht ums Prinzip«, sagte sie.

»Was hat Georg die Glatze eigentlich in Rom gemacht?« Margot zog die Augenbrauen zusammen.

»Sich gefreut, mich so überraschend wiederzusehen.«

Laura schauderte. Dann kam ihr ein Gedanke: Verfolgte Georg sie? Erst dieser komische Typ im grauen Trench, dann der Zeitungsartikel, und jetzt trafen sie Georg wieder.

»Überraschend, soso ...«

Margots Gedanken schienen in eine ähnliche Richtung zu gehen. Was, wenn Georgs Auftreten kein Zufall gewesen war?

»Es scheinen uns ja in letzter Zeit ganz schön viele Leute zu verfolgen.« Laura sah Sabine an. »Hast du eine Ahnung, weshalb das sein könnte?«

»Vermutlich suchen sie Teenager, die von zu Hause weggelaufen sind«, murmelte Margot.

Sabine griff zu ihrem Wasserglas und sah Laura interessiert an.

Laura warf Margot einen bösen Blick zu und tastete nach ihrem Handy. Wie würde es wirken, wenn sie von der Polizei nach Hause gebracht wurde? Weder unerreichbar noch mysteriös. Ihr wurde schlecht. Sie brauchten mehr Zeit!

Als der Kellner die Pizzen brachte, war Laura sicher, nichts herunterbringen zu können. Aber der Teig war so hauchdünn, der Rand so knusprig und der Belag so saftig, dass sie herzhaft zulangte.

»Wisst ihr, dass es inzwischen sogar Ausstellungen zu Graffitis gibt?«

Margots Versuch, die Stimmung aufzuheitern, entlockte Laura ein Stöhnen.

»Ich habe mir ein englisches Buch über moderne
Kunst gekauft. Es ist ein ganz toller Band mit vielen
Hochglanzbildern und einem Kapitel von uns Graf-
fitikünstlern.«

»Hast du noch irgendwas anderes im Kopf außer
diesen dämlichen Tomaten?«

»Entschuldige, dass ich meine letzten Tage genie-
ße, bevor ich in ein Altenheim ziehe.« Margot tupfte
sich den Mund mit ihrer Serviette ab.

Plötzlich schmeckte die Pizza gar nicht mehr gut.
Laura schob die Reste auf ihrem Teller hin und her,
bis auch Sabine und Margot das Besteck hinlegten.
Keine von ihnen schien großen Hunger gehabt zu
haben. Sie zahlten und machten sich auf den Weg
ins Hotel.

Die Straßenlaternen beleuchteten den Hoteleingang hell, nicht zu übersehen waren die zwei Polizei-
fahrzeuge, die davor auf der Straße parkten.

»Sind die etwa wegen uns da?« Laura fuhr sich mit
der Hand durch die Haare.

Margot hob die Schultern und legte einen Zeigefinger an die Lippen. »Wir machen uns besser darauf
gefasst.«

»Ha, denen erzähl ich was!« Sabine hob schon wieder die Rechte und wollte losstürmen.

Laura hielt sie am Ärmel zurück. »Lass den Mist!«

Sie sah Sabine in die Augen. »Auffallen. Das war das, was wir nicht wollten.«

Sie bedeutete den beiden anderen, an Ort und Stelle stehen zu bleiben. Dann schlich sie sich zum Hotel. Die Streifenwagen waren leer, die Polizisten waren offenbar alle im Inneren. Vorsichtig ging Laura zum Eingang, blieb seitlich davon stehen und riskierte einen Blick um die Ecke.

Sie schnappte nach Luft. Der Kerl im grauen Trench! Vier Polizisten standen an der Rezeption, auf einem Sessel daneben saß der Hagere in seinem Trenchcoat und las Zeitung. Sie kehrte zu den beiden anderen zurück.

»Wir müssen weg!«

Sabine runzelte die Stirn. »So fest hab ich gar nicht zugeschlagen!«

»Nein. Der Typ im grauen Trench ist da. Der aus Florenz.«

»Er verfolgt uns wirklich.« Margot klang entsetzt.

»Ich dachte, das hätte ich geklärt«, murmelte Sabine.

Laura glaubte, ihren Ohren nicht zu trauen. »Was hast du gemacht?«

Aber Sabine hörte ihr gar nicht zu. Sie straffte die Schultern. »Ich werde mit ihm reden.«

»Bloß nicht!« Noch einen Nasenbeinbruch konnten sie beim besten Willen nicht gebrauchen. Und dann auch noch direkt vor den Augen der Polizei.

»Es ist wohl Zeit, das Hotel zu wechseln.« Margot schien mehr mit sich selbst zu sprechen.

Laura nickte. Sie sollten weg, und zwar so schnell wie möglich. Es wurde langsam brenzlig.

»Schon wieder ohne Zahnbürste weiter«, fiel Laura ein.

»Mein Bildband!« Margot stöhnte auf.

Nur Sabine, der Grund der ganzen Aufregung, wirkte zufrieden. »Immerhin haben wir umsonst geduscht, und du hast dein Schläfchen gehalten.«

Betrug scheint ja ihr Beruf zu sein, dachte Laura.

»Und mit dem Hotel wechseln wir unsere Personalausweise?«, fragte sie an Margot gewandt. »Die haben sie bisher immer sehen wollen.«

»Oh.« Margot sog ihre Unterlippe in den Mund. Dann strahlte sie. »Ich hab da vielleicht eine Idee. Wart ihr schon auf der Piazza Navona?«

Die Pension, in die Margot sie nach einem kurzen Gespräch mit einer Gruppe Jugendlicher am Vierströmebrunnen führte, war schmuddelig, und es gab nur
ein Doppelzimmer mit Zustellbett. Sabine beschwerte sich nicht, sie hatte schon unbequemer geschlafen.

Das Frühstück mussten sie sich in einer Bäckerei
in der Parallelstraße kaufen. Aber niemand wollte
ihre Ausweise sehen. Das schien besonders Margot
wichtig zu sein. Sabine runzelte die Stirn. Sie schloss
die Badezimmertür und drehte den Wasserhahn auf.
Für einige Augenblicke hielt sie ihre rechte Hand unter das fließende Wasser. Ihre Knöchel hatten etwas
abgekriegt. Sie waren rot und leicht geschwollen. Bewegung tat weh, aber bestimmt weniger als dem Ve-
ronaräuber oder Georg die Nase. Sie lächelte zufrieden und trocknete sich ab. Für zwei Kerle innerhalb
so kurzer Zeit hatte sie sich gut geschlagen.

Sabine schüttelte die Hand ein bisschen, öffnete
und schloss ihre Finger. Kein Problem, sie hatte sich
also nichts Ernsthaftes getan. Trotzdem war es un-
klug gewesen. Sie seufzte. Laura und Margot hatten

recht, sie durfte nicht mehr auffallen. Sabine hatte zwar keine Ahnung, was Laura oder Margot ausgeheckt haben konnten, die beiden wirkten viel zu brav, aber ihr selbst war ja offenbar der Kerl im grauen Trench auf der Spur. In dieser Situation einen Aufruhr zu veranstalten ist einfach dumm, schalt sie sich. Schon wieder hatte sie nicht nachgedacht, keinen kühlen Kopf bewahrt.

Nachdem Laura so wütend darüber gewesen war, dass sie dem Räuber die Nase gebrochen hatte – das vermuteten sie zumindest –, war Sabine entschlossen, zuerst ihren Kopf einzuschalten, bevor sie ihren Emotionen folgte. Aber dieser Georg, wie er Laura angesehen und dann die Hand nach ihr ausgestreckt hatte. Das hatte alle Sicherungen durchbrennen lassen.

Sabine seufzte. Ab jetzt würde sie sich zusammenreißen. Sie vermisste ihren Trainingssandsack. Darauf einprügeln, alle Wut herauslassen, allen Frust, alle Energie, das wäre das Richtige. Dann hörte sie auf nachzudenken, dann hörte sie auf, Fehler zu machen. Sie wischte sich über die Augen. Zu viele Fehler, das war das Problem. Zu viele Fehler. Sie zupfte ihr Kleid zurecht, strich sich die Haare aus der Stirn und öffnete die Tür zum gemeinsamen Schlafzimmer.

Keine Fehler mehr.

27

Margot faltete ihr Kleid und legte es auf den einzigen Stuhl im Zimmer. Die Pension war das Gegenteil des vornehmen Hotels. Dafür mussten sie hier nicht einmal ihre Namen nennen. Ihre vier jungen Freunde von der Piazza Navona hatten sie nicht enttäuscht.

Sabine lag auf dem Zustellbett, auch Laura lag schon, als Margot unter die Decke schlüpfte.

»Ich will noch nicht nach Hause. Was sagt Matthias dazu? Und Sina wird mich auslachen!« Murrend vergrub Laura den Kopf im Kissen. »Alles nur wegen ...« Sie brach ab und sah böse zu Sabine hinüber.

»Hier findet uns niemand«, beruhigte Margot sie.

Sie zögerte. Sie wollte dem Mädchen nicht die Hoffnung nehmen. Aber dieser Matthias schien sie nicht besonders zu vermissen.

»Du könntest deinen Matthias anrufen«, schlug sie schließlich vor.

»Ich muss durchhalten. Nur noch ein paar Tage.«

»Ist Matthias dein Freund?«, fragte Sabine. »Meinst du, er wird dich suchen? Deinetwegen hierherkommen?«

Laura presste die Lippen aufeinander und schaltete ihre Nachttischlampe aus.

Margot knipste ihre Lampe ebenfalls aus. Sie legte den Kopf auf ihr Kissen, das, wie sie feststellen musste, leicht nach Hund roch. Sie dachte an Eddie und daran, dass sie auch einmal jung gewesen war, richtig jung. Eddie war auf einer Geschäftsreise gewesen, und Margot hatte ihn jeden Tag angerufen. Als er am Freitagabend wieder zu Hause gewesen war, hatte sie einen guten Wein aufgemacht und den Tisch mit Rosen dekoriert. Junge, fremde Margot. Wann hatten diese Gefühle aufgehört? Wann hatte sie sich so geändert?

Trotz der Aufregung des Tages und ihrer trübseligen Gedanken schlief sie schnell ein.

Margot wachte ausgeschlafen, aber mit steifen Gliedern auf. Das Bett war kein Vergleich mit denen in den Hotels, in denen sie vorher übernachtet hatten. Selbst in der Jugendherberge hatte sie besser geschlafen. Seufzend stand sie auf, lockerte ihre Schultern etwas und schlurfte ins Bad.

Wie immer war Laura vor ihr aufgewacht. Sabine schnarchte leise auf dem Feldbett. Der Bäcker in der Parallelstraße stellte sich als kleines Café heraus. Es gab Tische unter einem Schirm auf der Straße, alle Sorten Kaffee und *cornetti* in einer Vitrine.

Laura saß vor einem großen Kakao und leckte sich

Puderzucker von den Fingern. Sie wirkte müde und besorgt. Margot vermutete, dass sie immer noch keine Nachricht von Matthias erhalten hatte. Ihre Zweifel vom Abend zuvor taten ihr leid. Das Mädchen brauchte Zuspruch, keinen Pessimismus.

»Keine Nachricht zu bekommen ist besser als eine Abfuhr«, sagte Margot statt einer Begrüßung.

»Was?«

Margot rückte einen Stuhl zurecht und setzte sich.

»Du hast ihm Fotos geschickt. Er hätte zurückschreiben können, dass du ihn in Ruhe lassen sollst. Dass er keinen Kontakt mehr haben möchte.«

»Du meinst, er überlegt also?« Laura strahlte.

Margot wünschte, dass sie dem Mädchen nicht umsonst Hoffnungen machte. Für den Moment musste es reichen.

»Ich meine das, was ich gesagt habe: Keine Nachricht ist besser als eine negative Nachricht.« Margot lächelte. »Und jetzt hätte ich auch gern so ein Plunderstück.«

Sie aßen schweigend, während um sie herum die Menschen einen schnellen Espresso tranken oder ein *cornetto* mit auf den Weg nahmen.

Margot blätterte in ihrem Reiseführer. »Gut, dass ich den wenigstens in meiner Handtasche hatte«, sagte sie. »Hätten wir bloß auch das Kunstbuch dabeigehabt.«

»Wir?« Laura zog die Augenbrauen hoch.

»Ihr wollt mich schließlich in meiner künstlerischen Entwicklung unterstützen. Ich würde heute gern die Vatikanstadt ansehen«, wechselte sie das Thema.

Laura nickte. »Hab mal ein Buch gelesen«, sagte sie. »Verschwörungen und solche Sachen. War ganz spannend.«

»Oh, da kommt Sabine!« Margot winkte. »Vielleicht möchte sie mit zum Petersdom.«

Laura sah Sabine an. Der wacklige Frieden, den sie mit ihrer Reisebegleitung geschlossen hatte, schien endgültig zerstört zu sein. Laura verhielt sich zunehmend feindselig.

Sabine wollte nicht mit zum Petersdom.

»Die Nacht auf dem Klappbett war wohl nicht so angenehm?«, fragte Margot. »Wenn du dich ausruhen möchtest, kannst du gern mein Bett nehmen.«

»Die Kopfkissen riechen auch nur leicht nach Hund«, sagte Laura.

Aber Sabine schüttelte den Kopf. »Ich ruhe mich im Park aus, dort gibt es Wiesen.«

»Schade.« Margot rief die Kellnerin zum Zahlen. »Aber wir sehen uns ja später wieder«, verabschiedete sie sich mit einem Winken.

»Jetzt übertreibst du aber«, flüsterte Laura. »So nett ist sie nun wirklich nicht.«

Margot mochte Sabine, fand es im Augenblick aber klug, nichts zu sagen. Stattdessen sah sie im Reiseführer nach, ob sie mit der U-Bahn fahren konnten.

»In Italien heißt alles anders. U-Bahn heißt Metro«, erklärte sie Laura.

»In Frankreich heißt das auch so.«

Margot war ein bisschen enttäuscht, sie hatte auf mehr italienisches Flair gehofft. Aber die Metro selbst entschädigte sie wieder. Die Rolltreppen waren länger und schneller als zu Hause. Die U-Bahnen waren länger und voller, und die Fahrt war aufregender.

»Da vorn!« Laura deutete auf eine Mauer. »Da sind die Vatikanischen Museen. Wir können also nicht weit sein.«

»Fantastisch!« Beinahe hätte Margot vor Freude in die Hände geklatscht. »Sieh mal, es gibt gar keine Schlange! Da müssen wir hin!«

»In die Museen?« Laura sah nicht begeistert aus.

»Dort steht die berühmte Laokoon-Gruppe. Was glaubst du, wie hübsch die Schlangen wären mit Tomaten dekoriert?«

»Wer?«

»Hach, was sind wir im Lateinunterricht mit diesen Mythen gequält worden.« Margot erinnerte sich noch gut an Studienrat Hartmann und seine Begeisterung für die Antike. »Wobei ich glaube, dass das ein griechischer Mythos ist.« Sie runzelte die Stirn. Es war einfach schon zu lange her.

»Ich denke, ich werde in den Petersdom gehen und danach einen Kaffee trinken«, sagte Laura.

Entweder war sie mit diesen Mythen nicht gequält worden, oder die Erinnerung war noch zu frisch.

»Wir können uns später dort drüben treffen.« Margot deutete auf ein Café, das direkt gegenüber dem Ausgang der Vatikanischen Museen lag.

Laura sah unschlüssig zu der wenig einladenden Fassade, aber ein anderes Café konnte sie hier nicht entdecken, und der Imbissstand direkt vor dem Eingang der Museen wirkte noch ungemütlicher.

»Okay«, sagte Laura. »In etwa zwei Stunden?«

Margot nickte, in Gedanken schon bei der Sixtinischen Kapelle. Dort herrschten wesentlich höhere Sicherheitsvorkehrungen als auf der Piazza Navona. Sie würde beim Malen äußerste Vorsicht walten lassen müssen.

28

Laura hatte schlechte Laune. Am Eingang zum Petersdom hatte ein Wachmann ihre Tasche durchleuchtet, und als sie ein Foto von seinem Bauch machte, bekam sie einen Rüffel.

Der zweite Soloausflug, den sie unternahm, und bisher war es kein bisschen besser als am Tag zuvor. Margot hatte allein unglaublichen Spaß gehabt und junge Männer kennengelernt, die ihnen zu ihrer neuen Bleibe verholfen hatten. Was war bei ihr selbst gewesen? Eine Menge Geflirte von Jungs, die nicht Matthias waren, und vom Glatzkopf.

Sie betätigte den Zoom ihrer Handykamera. Es war mehr Hüfte als Bauch. Die Pietà war nicht dazu geeignet, fotografiert zu werden. Ein Eis war die bessere Alternative. Sie hatte noch ein wenig Bargeld, bisher hatte sie immer mit ihrer EC-Karte gezahlt. Aber bald würde sie Geld abheben müssen. Konnte die Polizei so etwas nachverfolgen? Oder war das aus Datenschutzgründen verboten? Margot wusste es sicher nicht. Sabine wusste es bestimmt, aber die wollte sie nicht fragen. Die hatte schon genug Unheil angerichtet. Vielleicht sollte sie sich ein Internetcafé suchen, da konnte sie die Frage googeln.

Ihr Handy piepste. Sina hatte ein Foto geschickt. Das durfte doch nicht wahr sein! Ein Bild von Matthias, wie er Arm in Arm mit seiner Neuen vor dem Kino stand. Fand Sina das witzig? Am liebsten hätte Laura ihr Handy in den nächsten Mülleimer geworfen. Sie war allein in Rom, und wen interessierte das? Matthias und die rote Rosa vergnügten sich zu Hause. Ihr Plan hatte nichts genützt, ihr Plan war Mist, Matthias hatte sie verlassen und würde nicht wieder zurückkommen.

Wütend wischte Laura ihre Tränen weg. Was war jetzt mit ihrem Kind? Und was mit ihren Eltern? Laura trottete zu den Vatikanischen Museen. Sie gab die Nummer ihrer Eltern ein. Unterbrach die Verbindung. Gab die Nummer erneut ein.

»Schmidt. Hallo?«

Bevor sie etwas sagen konnte, schrie jemand links von ihr laut auf. Laura drehte sich um. Margot kam aus dem Ausgang der Vatikanischen Museen gerannt, hinter ihr drei Security-Leute, die wild mit den Armen fuchtelten und ihr auf Italienisch etwas nachbrüllten. Laura ließ ihr Handy sinken, drückte schnell den roten Knopf. Hinter ihr schlenderte eine riesige Reisegruppe heran, jeden Moment würde sie von laut schwatzenden Amerikanern in Shorts umringt sein. Sie winkte hektisch.

Zielstrebig eilte Margot auf sie zu. Laura zog sie am Arm mitten zwischen die Touristen, der Pulk schloss sich um sie. Hoch lebe Amerika, sie waren sicher.

»Was ist denn jetzt schon wieder los?«, fragte Laura.

»Du wirst es nicht glauben!«

Laura hatte eine bestimmte Vermutung.

Die Security-Leute hasteten heran, blickten sich um. Margot redete auf ein Ehepaar ein, das sie verständnislos anblickte.

»Sind Sie auch so aufgeregt? Ich bin das erste Mal in Rom. Der Vatikan ist ja doch etwas ganz Besonderes, nicht wahr?«

»Du kannst aufhören.« Laura gab ihr einen kleinen Stoß in die Rippen. Die Wachleute waren schulterzuckend abgezogen.

»Oh, sie sind weg? Großartig.«

Margot schenkte den amerikanischen Touristen um sie herum noch ein Lächeln.

»Du hast versprochen, dich nicht erwischen zu lassen!«, zischte Laura.

»Sie haben mich doch auch nicht erwischt.« Margot strahlte über das ganze Gesicht. »Und im Museumscafé habe ich mir etwas zu trinken gekauft.«

Laura schüttelte den Kopf. »Das war so knapp.« Sie hielt Daumen und Zeigefinger dicht beieinander.

»Nun hab dich nicht so. Du bist jung, du musst das

Leben genießen. Stell dir vor, ich war in der Kapelle! In der Kapelle!« Die Aufregung ließ Margot in halben Sätzen reden. »Eine große Tomate und zwei kleine!«

»Warum groß und klein?«

»Ich hatte keine Zeit für Falten.« Margot winkte ab. »Die Größe ist symbolisch zu sehen.«

Laura zog eine Augenbraue hoch, als Margot zu kichern begann.

»Ein Alarm ist losgegangen, weißt du? Ich habe die ganze Zeit nur auf Wachleute geachtet, dabei gibt es ein elektronisches Sicherheitssystem.«

Das hätte Laura ihr gleich sagen können.

»Beinahe hätte ich eine falsche Abzweigung genommen, und einer hatte mich fast schon am Ärmel, aber ich bin entwischt.«

Margot sah unglaublich stolz aus. Laura wusste nicht so recht, was sie davon halten sollte.

»Sabines Verhalten scheint abzufärben.«

»Ich bin viel mutiger geworden.«

»Na, dann.«

Margots gute Laune irritierte sie. Schwanger und allein hatte sie sich durch die Straßen geschleppt, und Margot dachte nur an ihre Graffiti. Und wie sie noch illegalere Dinge tun konnte. Sie war ja schon auf dem halben Weg zu einer Kriminellen wie Sabine!

»Im Petersdom haben sie mir alles verboten. Und Matthias ist glücklich mit seiner Neuen.«

»Ach, das tut mir leid.« Margots Lächeln verschwand.

»Schön, dass wenigstens eine von uns beiden Spaß hatte.«

Das war gehässiger herausgekommen, als sie es gewollt hatte. Sie wusste, dass sie unfair war. Sie konnte nur gerade nicht anders. Wütend über sich selbst wandte sie sich ab und ging weg.

»Ich wollte doch noch in den Petersdom!«, rief Margot hinter ihr.

»Viel Spaß!«

Laura drehte sich nicht einmal um. Doofer Vatikan, doofer Petersdom, doofe Margot.

29

Den Petersdom konnte sie ein anderes Mal sehen, vielleicht am kommenden Tag. Im Moment ging es Laura schlecht, und offenbar war sie selbst schuld, weil sie sich ihren Spaß machte. Nein, natürlich würde sie sie jetzt nicht allein lassen, das war gemein. Das arme Mädchen war schwanger und hatte offenbar einen schlechten Tag. Außerdem schien Laura sich seit ihrem Schwächeanfall Sorgen zu machen. Wie sie ihr helfen konnte, wusste Margot nicht. Vielleicht mit einem Eis? Sie hastete hinter Laura her, die Flip-Flops klatschten gegen ihre Füße.

»Nun warte doch!«

Laura brummte, als sie ihr den Vorschlag machte, ein Eis zu essen.

»Oder möchtest du lieber Pasta? Was hältst du vom Kapitol?«

Laura seufzte. Aber immerhin reduzierte sie ihr Gehtempo und lenkte ein.

»Lass uns zum Trevi-Brunnen gehen. Stand der nicht auch auf deiner Liste?«

Margot verbuchte das als Erfolg. Und der Trevi-

Brunnen war tatsächlich eine der Sehenswürdigkeiten, die sie unbedingt besichtigen wollte. Sie hatte
sich natürlich keine richtige Liste gemacht, sondern
Eselsohren in den Reiseführer.

»Du kriegst trotzdem ein Eis«, versprach Margot.

Die engen Straßen, die zum Trevi-Brunnen führten, waren voller Menschen und Souvenirverkäufer.

»Die ist ja auch hier«, stöhnte Laura, als sie den
Platz vor dem Brunnen betraten.

Schon von Weitem erkannte Margot Sabines große
Gestalt mit den breiten Schultern, sie war trotz der
vielen Menschen gut zu erkennen. Das blau geblümte
Kleid hatte sie gegen ein grünes eingetauscht. Ohne
sich zu rühren, blickte sie starr ins Brunnenwasser.
Margot und Laura mussten sich an einigen Touristen
vorbeidrängen, bis sie bei ihr waren. Laura tippte ihr
auf die Schulter. Sie erntete ein verwirrtes Blinzeln.

»Hast du schon Geld hineingeworfen?« Margot
kramte in ihrem Portemonnaie nach ein paar Cent-
münzen. »Wenn wir das tun, bedeutet es, dass wir
wiederkommen.«

»Aha.« Laura schien skeptisch.

»Du darfst dir auch etwas wünschen.« Margot legte eine Münze in Lauras Hand. »Mach die Augen zu,
und denk ganz fest dran, dass es wahr wird.«

Sie selbst schloss ebenfalls die Augen, dachte an
Daniel, ans Altersheim, an ihre Reise. Sie wollte frei
sein.

Als sie die Augen wieder öffnete, blickte sie dem hageren Mann im grauen Trench direkt in die Augen.

»Ach du Schreck.«

Laura sah sich hektisch um. Von links schlenderten drei junge Polizisten heran, war das eine koordinierte Aktion?

»Weg hier!«, zischte Laura und zog Margot am Ärmel.

Margot griff nach Sabines Handgelenk. Gemeinsam versuchten sie, sich einen Weg durch die Menge zu bahnen. Ein Mann neben Margot fasste nach ihr, sie schlug ihm mit ihrer Handtasche vor die Brust, er taumelte, stolperte und fiel mit einem lauten Platschen in den Brunnen.

Bewegung kam in die Menge, vor allem in die Carabinieri, als der Mann im Brunnen Zeter und Mordio schrie. Margot wäre beinahe stehen geblieben, hätte Sabine sie nicht weitergerissen.

»Hat er sich was getan?«, keuchte Margot besorgt.

»Darum können sich andere kümmern!«

Sie hetzten an den Souvenirständen vorbei, mussten immer wieder Leuten ausweichen. Hinter ihnen hörte man Schreie und Trillerpfeifen.

»Hier!«

Sabine blickte sich um, duckte sich und zog Margot in ein Lokal. Laura folgte ihnen, aufgeregt vor sich hin schimpfend. Sabine marschierte schnurstracks mit ihnen in die Küche. Dort rief sie dem Besitzer etwas zu, das Margot nicht verstehen konnte, dann waren sie durch eine Hintertür schon wieder draußen.

Margot konnte sehen, wie sich Lauras Miene verfinsterte. Sie sagte jedoch nichts, bis sie zurück in ihrer »Keine Fragen, alles klar, Signora«-Pension waren.

»So ein Mist.« Schnaufend ließ sich Laura aufs Bett fallen und legte den Arm übers Gesicht.

Sabine schloss die Tür und lehnte sich daran. Sie atmete nicht einmal schneller als normal, während Margot nur so nach Luft japste. Sollte sie etwas trinken? Das Rennen hatte sie durstig gemacht.

»Und was machen wir jetzt?«, fragte Laura.

Das wusste Margot auch nicht. Die zweite Verfolgungsjagd des Tages war nicht halb so lustig gewesen wie die erste. Was hätten die Wachleute ihr schon tun können? Eine Geldstrafe wegen Graffiti. Aber von der Polizei als Bankräuberin gesucht zu werden … Margot probierte es mit Optimismus.

»Vielleicht war es nur ein Zufall. Diese Polizisten laufen überall herum. Vor dem Kolosseum waren sie auch. Die passen auf uns Touristen auf.« Ihr Mund verkrampfte beim Lächeln ein wenig.

»Vielleicht sind sie uns ja auch schon auf der Spur.« Laura setzte sich auf. »Wäre kein Wunder, so auffällig, wie wir uns in letzter Zeit benehmen.«

»Auf der Spur?« Sabine sah Laura interessiert an. »Meinst du, die organisieren eine groß angelegte Suchaktion für einen ausgerissenen Teenager?«

»Vielleicht halten sie uns ja für Komplizen«, gab Laura zurück. »Komplizen einer Bankräuberin zum Beispiel.« Kampflustig blickte sie zu Sabine.

Margot hielt den Atem an, doch Sabine schüttelte nur irritiert den Kopf und wandte sich ab.

Margot stieß die angehaltene Luft aus. Sie bekam Kopfschmerzen. Hatte sie wieder nicht genug getrunken? Sie griff zu ihrer Wasserflasche, trank ein paar Schlucke, dann massierte sie sich die Schläfen. Sie versuchte es mit einem Vorschlag.

»Wir sind immerhin schon zwei Tage in Rom. Was haltet ihr von einem Szenenwechsel?«

Laura presste die Lippen aufeinander.

»Wie wäre es mit Neapel? Wir wollten doch ohnehin nach Sizilien.«

»Sizilien …« Sabine legte den Kopf schräg. Dann zuckte sie mit den Schultern. »Warum nicht?«

Laura stand auf, sammelte ihre Siebensachen zusammen und pfefferte alles in ihre Tasche. »Dann mal los.« Ohne sich umzublicken, verließ sie das Zimmer.

Auch Margot und Sabine verließen das Zimmer. Sie versuchten, an der Rezeption jemanden herbeizurufen, aber als niemand erschien, legte Margot schließlich fünfzig Euro auf den Empfangstresen.

Schweigend stiegen sie ins Auto. Die Luft war zum Schneiden. Margot unterdrückte den Impuls, mit einer fröhlichen Geschichte die Stimmung aufzulockern. Höchstwahrscheinlich würde sie damit alles nur schlimmer machen. So war es bei Daniel immer gewesen. Junge Leute waren in dieser Hinsicht eigenartig. Sie riskierte einen Blick zu Laura, die mit finsterer Miene aus dem Fenster starrte.

»Die fünfzig Euro für die Übernachtung hättest du dir sparen können«, sagte Sabine. »Selbst schuld, wenn sie unsere Namen nicht wissen wollen.«

Laura drehte sich zu ihr um. »Fremdes Eigentum ist dir wohl völlig egal, was?«, fragte sie scharf. »Die Welt – ein Selbstbedienungsladen. Wenn Sabine was gefällt, darf sie's nehmen.«

Sabine sah sie verdutzt an.

Margot legte eine Hand auf Lauras Schulter, die diese gleich abschüttelte.

»Du bist doch schuld daran!« Laura funkelte Sabine böse an. »Ich wollte nur Urlaub machen. Auf Matthias warten! Der sich jetzt vermutlich nie melden wird, weil ich gesucht werde!« Sie redete sich richtig in Rage. »Ich hab die Schnauze voll!« Sie wandte sich an Margot. »Und du mit deinem ewigen Optimismus! Alles ist super! Du nimmst Sabine ständig in Schutz. Und warum? Weil der Typ, dem sie eine reingehauen hat, zufällig selbst kriminell ist.«

»Was?« Sabine lehnte sich nach vorn.

»Sie hat uns gerettet«, rief Margot.

»Das ist mir so was von egal! Im Krankenhaus hat sie sich einen Dreck um dich geschert. Den Typ im grauen Trenchcoat kennt sie, wer weiß, was sie noch vor uns verbirgt! Wegen ihr werden wir von der Polizei gesucht! Aber interessiert dich das? Kein Stück!« Sie schnallte sich ab und öffnete die Tür.

»Warte!«, rief Margot. Laura konnte nicht einfach so gehen. Sie waren doch Reisegefährtinnen.

»Und worauf? Dass uns die Polizei schnappt? Nein, danke!« Laura stieg aus und knallte die Tür so fest zu, dass das ganze Auto wackelte.

»Laura!« Margot öffnete die Fahrertür.

»Lass mich in Ruhe! Geh feiern mit deiner neuen Freundin. Wenn euch das Geld ausgeht, könnt ihr ja eine Bank überfallen.« Sie drehte sich nicht einmal mehr um, stapfte nur die Straße entlang.

»Aber was willst du denn jetzt machen?«

»Nach Hause fahren!«

30

Überall waren Touristen, überall wurde sie angerempelt. Sie wusste nicht, mit welcher U-Bahn-Linie sie zum Bahnhof kam, Margot war schließlich diejenige mit dem Reiseführer gewesen. Jetzt war sie darauf angewiesen, sich durchzufragen.

Als ihr Handy klingelte, zuckte sie zusammen. Die Polizei, ihre Eltern oder noch schlimmer? Sie holte das Telefon aus ihrer Tasche. Warum hatte sie auch vergessen, es auszuschalten? Laura sah auf das Display. Matthias. War es tatsächlich Matthias, der sie da gerade anrief?

»Hallo?« Ihre Stimme klang heiser. Sie räusperte sich. »Hallo.« Das war besser.

»Laura, Gott sei Dank, dass ich dich erwische!« Matthias schien den Tränen nahe. Was war denn mit dem los? »Bitte, Laura, mach keinen Mist!«

»Matthias? Alles in Ordnung?«

Die Antwort war ein Schniefen, dann ein Schwall chaotischer Sätze. »Was ich mir für Sorgen gemacht hab! Du kannst dir ja nicht vorstellen, was ich durchmache, was wir alle durchmachen, Laura! Bitte, bitte, bitte tu dir nichts an! Wir kriegen das wieder hin. Alles wird gut. Ich tu alles, was du willst. Mensch, ich bin fix und fertig mit den Nerven. Bitte, Laura, bitte bring dich nicht um.«

Für einen Moment war Laura sprachlos.

»Mich umbringen? Du glaubst, ich will mich umbringen?«

»Es hat einige Zeit gedauert, bis ich deine Bilder interpretiert hatte. Ich wusste nicht, was du mir sagen willst. Aber dann warst du nicht in der Schule, und da wusste ich, dass ich dir das Herz gebrochen habe.«

»Das Herz?«

»Deshalb die ganzen Fotos, es ging um dein Innerstes, um die Qualen, die du meinetwegen durchleidest, nicht?«

Seit wann war Matthias so dramatisch?

»Und dann hat Sina mir gerade erzählt, dass sie dir ein Bild geschickt hat. Von mir. Nicht ganz allein.« Er schluchzte. »Ach, Laura, es ist alles meine Schuld! Es tut mir so leid!«

»Du glaubst, ich bin so krank vor Liebeskummer, dass ich mich von der nächsten Brücke stürzen will?«

Ganz konnte sie den Ärger aus ihrer Stimme nicht heraushalten. Ja, natürlich war sie unglücklich. Sie war schwanger, und der Vater des Babys hatte sie verlassen. Wenn das keine schlechten Nachrichten waren, dann wusste sie es auch nicht. Aber gleich

Selbstmord begehen? Das war doch zu viel des Guten. Oder eher des Schlechten. Ein bisschen zu dramatisch.

»Du solltest mich eigentlich kennen, Matthias. Dafür denke ich zu rational.«

Sie hörte, wie er sich laut schnäuzte. Hoffentlich in ein Taschentuch. Wegen der roten Rosa hatte er sie verlassen, und jetzt tat er, als ob sie ihm so wichtig wäre.

»Solltest du nicht eigentlich gerade mit Rosa knutschen?«, fragte Laura.

»Ach, Laura, Rosa ist jetzt nicht wichtig.«

»Das hast du letzte Woche aber ganz anders gesehen!«

»Ich weiß.« Matthias seufzte. Dann hörte Laura ihn wieder geräuschvoll die Nase hochziehen. »Ich hab solche Angst um dich gehabt.« Es war fast ein Flüstern.

»Okay.« Sie runzelte die Stirn. Was sollte sie dazu auch sagen?

»Versprich mir, dass du dich nicht umbringst.«

»Okay. Ich verspreche es.« Das war eines der leichteren Versprechen in ihrem Leben.

»Komm bald wieder, ja?«

Laura legte auf.

Puh. Was war das gewesen? Was bildete Matthias sich eigentlich ein? Wenn sie Selbstmord begehen würde, bräuchte sie nur seine Stimme zu hören, um davon abzukommen? Ha! Wenn sie Selbstmord begehen wollte, dann würde sie sich sicher nicht von ihm abhalten lassen. Schnell, praktisch, effektiv, das war sie, Laura. Wie kam Matthias überhaupt auf die Selbstmordidee? Hielt er sich für so wichtig? Oh, ich toller Hecht habe die arme kleine Laura verlassen, was wird sie ohne mich tun?

Laura beschleunigte ihre Schritte. Dieser aufgeblasene Affe. Dabei wusste er noch nicht einmal, dass sie schwanger war. Margot hatte es gewusst. Margot hatte von der Schwangerschaft und von Matthias gewusst und nicht eine Sekunde angenommen, dass Laura sich umbringen wollte. Na, großartig. Die alte Frau, die sie vor ein paar Tagen erst kennengelernt hatte, kannte sie besser als der Junge, mit dem sie acht Monate zusammen gewesen war. Margot. Und jetzt schlug sie sich einfach auf Sabines Seite. Interessierte sich überhaupt nicht mehr für sie.

Laura trat gegen einen Laternenpfahl.

31

»Es ist besser, dass sie nach Hause gefahren ist.«
Margot überholte einen kleinen Fiat, der sehr langsam fuhr. »Ihre Eltern machen sich sicher große Sorgen.«

Sabine saß mit kerzengeradem Rücken und straff
nach hinten gezogenen Schultern auf dem Beifahrersitz, den Aktenkoffer auf dem Schoß. Sie sah angespannt aus.

»Teenager, weißt du?«, sagte Margot. Ihr eigenes
Lachen kam ihr gekünstelt vor. »Sie machen immer
nur Ärger.« Sie wusste nicht, wen sie überzeugen
wollte. Wahrscheinlich nur sich selbst. »Jetzt können wir unseren nächsten Zwischenstopp ganz ohne
Drama genießen.«

»Weshalb werdet ihr von der Polizei gesucht? Laura ist von zu Hause weggelaufen. Aber du?«

Margot räusperte sich. Sollte sie Sabine sagen,
dass sie von ihrem Geheimnis wusste? Bisher war sie
nett gewesen, hatte ihnen sogar geholfen. Die Entscheidung wurde ihr durch ein Handyklingeln abge-
nommen.

»Daniel.« Wer sonst hätte ihre Nummer gehabt?
»Vielleicht könntest du rangehen?«

Beim Fahren zu telefonieren traute sie sich nicht, und so eine neumodische Freisprechanlage besaß ihr alter Wagen nicht.

Sabine drückte auf die grüne Taste und hielt das Telefon an ihr Ohr. Sie sagte nichts. Lange zu warten brauchten sie nicht. Margot konnte Daniel von ihrem Platz aus schreien hören.

»Mutter! Wo bist du? Du wirst mittlerweile schon von der Polizei gesucht!«

Sabine hob die Augenbrauen. Sie hielt das Handy etwas von ihrem Ohr entfernt und legte einen Finger auf den Lausprecher.

»Er spricht von Altersheim und ... und nicht zurechnungsfähig.«

Margot hob entschuldigend die Schultern.

»Soll ich ihm was ausrichten?«

Margot schüttelte den Kopf.

Daniels Stimme wurde immer lauter, einzelne Wörter konnte sie verstehen. »Nach Hause« und »sofort«.

»Hm«, brummte Sabine. Dann unterbrach sie die Verbindung, und Daniel verstummte.

Wieso konnten Laura und Sabine das, nur sie selbst nicht? Margot seufzte.

Sabine steckte das Handy zurück in Margots Handtasche.

»Du läufst also vor deinem Sohn davon.«

»Vor dem Altersheim«, korrigierte Margot. Aber eigentlich war es dasselbe.

Sabine nickte. »Dann ist es vielleicht an der Zeit, dass ich meine Geschichte erzähle.«

32

Im Bahnhof Roma Termini herrschte ein unglaubliches Gewimmel von Menschen und ein Durcheinander von Geräuschen. Er war so groß, dass Laura sich auf dem Weg zum Fahrkartenschalter zweimal verlief, obwohl er sich gleich in der riesigen Eingangshalle befand.

Jetzt stand sie in einer endlosen Schlange und versuchte, den Krach auszublenden. Krach hatte sie genug gehabt mit Margot und Sabine. Was benahmen sich die beiden auch so unmöglich? Gut, dass sie sie nun los war. Mit zwei verrückten Frauen Italien zu bereisen war die dämlichste Idee, die sie je gehabt hatte. Sie würde nach Hause fahren. Nach Hause zu Matthias, der sich offenbar um sie sorgte. Genau. Matthias hatte ein schlechtes Gewissen, er machte sich Vorwürfe. Das würde er nicht tun, wenn sie ihm egal wäre. Er hegte also Gefühle für sie! Sein Anruf hatte sie im ersten Moment geärgert, aber eigentlich war er fürsorglich gewesen. Er hatte sogar gesagt, Rosa sei nicht wichtig! Das hieß doch, sie hatte noch eine Chance. Ärgerlich waren Margot und Sabine! Endlich rückte die Schlange vor. Laura war an der Reihe.

Der Schalterbeamte lächelte nicht. »*Prego.*«

Margot hätte gewusst, was das hieß. Laura schüttelte den Kopf und sah noch einmal auf die große Uhr, die hinter ihr in der Halle hing. Ihr Blick fiel auf einen kleinen Kiosk, vor dessen Auslage ein hagerer Mann mit Brille und grauem Trenchcoat stand …

»*Prego*«, wiederholte der Schalterbeamte noch einen Ton unfreundlicher.

Laura stürzte los. Sie schlitterte über den glatten Boden, der Mann hatte keine Chance, ihr auszuweichen. Es blieb ihm nur, abwehrend die Hände zu heben, als sie in ihn hineinrannte.

»Was wollen Sie?« Laura war selbst erstaunt, wie viel Zorn in ihr war. »Wer sind Sie, und warum spionieren Sie uns hinterher?« Plötzlich wünschte sie sich, ein bisschen mehr wie Sabine zu sein. Dann würde sie ihn jetzt schubsen. Verdient hatte er es. Stattdessen schrie sie ihn weiter an. »Sind Sie von der Polizei? Ist es das?« Laura trat einen Schritt zurück, erhob drohend ihre Faust. Er musste ja nicht wissen, dass sie nicht so gewaltbereit war wie Sabine. Sollte er sie ruhig ebenfalls für eine Amazone halten. »Lassen Sie sich eins gesagt sein: Schnüffler sollten sich lieber von uns fernhalten!«

»Entschuldigung!« Er zog den Kopf ein, wirkte fast wie eine Schildkröte. Eine ängstliche Schildkröte.

Aber Laura war noch nicht fertig. »Und falls Sie sich für mich interessieren: Ich bin nicht entführt worden! Sagen Sie das meinen Eltern. Ich bin freiwillig hier!« Sie trat einen Schritt auf ihn zu.

»Jaja, das weiß ich doch.« Er wich zurück. »Ich will Ihnen ja gar nichts Böses. Vielleicht können wir das in etwas privaterem Rahmen besprechen?«

Er sah sie hoffnungsvoll an. Erst jetzt bemerkte Laura, dass sich um sie herum eine Gruppe Schaulustiger versammelt hatte. Einer winkte zwei Streifenbeamte herbei, die überall in Italien umherzuschlendern schienen. Wie viele von ihnen gab es in Rom? Hatte die Stadt zu viel Geld?

»Privaterer Rahmen hört sich gut an. Aber schnell.«

Die Schildkröte wandte sich an die Umstehenden. »Alles in Ordnung.« Er lächelte unsicher. »*No problem.*«

Ha, sein Italienisch war noch schlechter als ihres. Oder hatte das Englisch sein sollen?

Laura setzte ebenfalls ein gekünsteltes Lächeln auf. Dann entfernten sie sich langsam von dem Kiosk. Eine Rolltreppe führte eine Etage tiefer, in der noch mehr Gewusel herrschte als oben. Laura hob ihr Kinn.

»Dann mal raus mit der Sprache!« Sie versuchte, so drohend wie möglich zu klingen.

Die Schildkröte seufzte, nahm ihre Brille ab, putzte sie ungeschickt mit einem Hemdzipfel und gab Laura die Hand.

»Mein Name ist Thomas Hinterhofer, ich bin Privatdetektiv.«

»Offenbar kein guter«, rutschte es Laura heraus.

Der Mann verzog den Mund.

»Leider. Sie haben mich recht schnell entdeckt. Meine Zielperson ....«

»Ihre Zielperson?« Laura wäre beinahe gestolpert. Er schluckte.

»Raus mit der Sprache, oder ich hol die Carabinieri!«

Laura hatte nichts mehr zu verlieren. Was konnten die schon anderes tun, als sie nach Hause zu schicken? Und dorthin war sie ohnehin unterwegs. Die Schildkröte schien mehr Angst zu haben als sie.

»Ist ja schon gut. Ich fühle mich meinem Arbeitgeber sowieso nicht mehr verpflichtet.«

»Wer ist das überhaupt?«

Der Detektiv seufzte wieder und machte ein unglückliches Gesicht. »Vielleicht können wir einen Kaffee trinken gehen?«

Laura zögerte, dann sah sie auf die Uhr. Es blieb noch Zeit, außerdem sah Thomas Hinterhofer aus der Nähe wirklich nicht gefährlich aus. Sie nickte.

Sie suchten sich eines der Schnellrestaurants im Bahnhof aus, wo sie sich auf Barhocker setzten. Die Schildkröte bestellte einen Espresso, Laura einen Tee und ein belegtes Brötchen. Sie hatte kein Mittagessen gehabt. Seit sie mit Sabine unterwegs waren, fielen die Mahlzeiten regelmäßig aus.

»Die Sache ist die«, begann Thomas seine Geschichte, »dass Herr Mühlendorf sein Geld wiederhaben will.«

»Herr Mühlendorf ist der Filialleiter, nehme ich an? Der Innsbrucker Sparkasse?«

Der Privatdetektiv blinzelte. »Herr Mühlendorf ist Sabine Mühlendorfs Ehemann.«

Jetzt blinzelte Laura.

»Na ja.« Thomas öffnete umständlich das Zuckertütchen. »Herr Mühlendorf ist nicht gerade glücklich darüber, dass seine Frau so mir nichts, dir nichts mit den gemeinsamen Ersparnissen abgehauen ist.«

»Gemeinsame Ersparnisse?« Lauras Kopf fühlte sich an, als hätte jemand Watte hineingesteckt.

»Es gab einen Streit, das hat er mir gegenüber zugegeben.« Thomas Hinterhofers Miene verdüsterte sich. »Obwohl er nichts von Handgreiflichkeiten erwähnt hat. Aber ich kann mir inzwischen gut vorstellen, woher Frau Mühlendorfs blaues Auge stammt. Im Krankenhaus, als Ihre ältere Freundin einen Schwächeanfall hatte, habe ich sie gefragt.«

»Sie waren also doch im Auto hinter uns her!«

Thomas nickte und nahm einen Schluck Kaffee. »Jedenfalls war sie so überrascht von meiner Frage, dass sie unmöglich gelogen haben kann. Nein«, er schüttelte den Kopf, »das blaue Auge hat ihr mein

Klient verpasst. Jedenfalls«, fuhr er fort, »hat Sabine nach einem Streit ihre Lebensversicherung aufgelöst, sich das gemeinsame Geld auszahlen lassen und ist auf und davon. Einen Abschiedsbrief hat sie hinterlassen, in dem stand, dass ihr Mann sie nicht suchen soll.« Seine Mundwinkel zuckten. »Deshalb hat er mich engagiert.«

»Deshalb?«

Vielleicht war das gemeinsame Konto alles gewesen, was Herr Mühlendorf an Geld besaß. Und jetzt konnte er sich keinen guten Privatdetektiv leisten. Oder wenigstens einen mittelmäßigen, der sich nicht an jeder Ecke erwischen ließ.

»Ich hatte nicht damit gerechnet, dass Sabine mich so umhaut.« Die Schildkröte blickte verträumt in ihren Kaffee.

Laura bekam einen Hustenanfall.

»Wie jetzt?« Sie wischte die Brötchenkrümel vom Tisch.

Thomas lächelte traurig. »Normalerweise bin ich meinen Klienten gegenüber loyal«, versicherte er, »ohne Wenn und Aber. Nur dieses Mal konnte ich mir nicht helfen.« Er zuckte hilflos mit den Schultern. »Sie ist so stark, so tapfer. Schon während meiner Observation fand ich sie faszinierend. Und als ich ihr im Krankenhaus dann begegnet bin ….«

Sabine weckte Gefühle in Thomas? Laura versuchte den Gedanken daran zu verdrängen. Er hatte aber auch solche Ähnlichkeit mit einer Schildkröte. Deren Hälse waren auch so lang und dünn. Moment! Er hatte mit Sabine gesprochen?

»Allerdings haben meine bisherigen Klienten auch ihre Frauen nicht geschlagen«, verteidigte er das bisschen, was ihm von seiner Privatdetektivehre noch geblieben war.

»Sie haben mit Sabine gesprochen? Im Krankenhaus?«, hakte Laura nach.

»In der Cafeteria.« Thomas strahlte. »Sie hat mir erlaubt, sie auf einen Kaffee einzuladen.«

»Und was haben Sie ihr gesagt?«

»Wie schön ihre Augen sind.« Thomas rührte verträumt in seiner Tasse.

Laura wandte sich ab. Kein Wunder, dass Sabine ihnen nichts von der Begegnung erzählt hatte. Sie räusperte sich.

»Das heißt, Sie sind gar nicht wegen des Bankraubs hinter uns her? Und auch nicht wegen meiner angeblichen Entführung? Und Margots Sohn hat Sie auch nicht beauftragt? Wir waren also komplett auf dem falschen Dampfer?«

»Bankraub? Entführung?« Thomas Hinterhofer zerrte nervös an seinem Hemdkragen.

»Danke für Ihre Ehrlichkeit.« Laura klopfte dem Privatdetektiv auf die Schulter und stand auf. »Und jetzt entschuldigen Sie mich bitte, ich muss einen Zug bekommen.«

33

Zuerst hatte Sabine nur stockend gesprochen, aber dann war alles aus ihr herausgesprudelt, was sie in den letzten Jahren erlebt hatte.

»Ich bin nicht schön«, sagte Sabine schließlich. »Ich bin nicht klug, nicht interessant. Wer hätte mich sonst haben wollen?«

»Du bist eine tolle Frau«, sagte Margot. »Und er ist ein Arschloch.« Es machte Spaß, das Wort laut auszusprechen. Arschloch. Ein Wort, das sie in ihrem ganzen Leben noch nicht in den Mund genommen hatte. Margot fühlte sich richtig jung.

»Am Anfang hat er mir tatsächlich das Gefühl gegeben.« Sabine machte eine unbestimmte Bewegung mit der Hand. »Wir hatten die gleichen Hobbys. Es war schön.«

»Aber dann …« Margot ahnte, was folgte.

»Er wurde eifersüchtig, wenn ich mich mit anderen Menschen traf.« Sabine sah auf ihre Hände. Ihre nächsten Worte flüsterte sie fast: »Es hat mir gefallen, weißt du? Ich hatte das Gefühl, ich bin ihm so wichtig. Ich, die Unscheinbare, ist für diesen tollen

Mann so wichtig, dass er sie nicht aus den Augen lassen will.« Nach einer kleinen Pause fügte sie hinzu: »Ich war selbst schuld an allem.«

Margot blickte auf. »Was? Nein!«

»Ich habe ihn gelassen«, sagte Sabine. Sie schwieg einen Augenblick, dann setzte sie hinzu: »Ich habe mich nicht gewehrt.«

Margot dachte an den Räuber in Verona und Georg, an ihre blutigen Nasen. Sie nickte.

»Ich bin Boxerin. Und trotzdem.« Sabine zuckte hilflos mit den Schultern.

Margot nickte. Eddie hatte genug Geld verdient. Dennoch waren sie nie in den Urlaub gefahren, weil Eddie fand, es sei Geldverschwendung. Immer brauchten sie gerade ein neues Auto, oder er wollte ein Gartenhaus bauen oder renovieren, und im Übrigen hatte er stets befürchtet, es würde eingebrochen, wenn sie weg wären. Und Margot hätte sich so gewünscht, in den Urlaub zu fahren.

»Es ist nicht deine Schuld«, sagte Margot. »Gar nichts ist deine Schuld. Und du hast ihn nicht *ge*lassen.« Sie grinste. »Du hast ihn *ver*lassen.«

»Das habe ich wohl.« Ein kleines Lächeln zeigte sich auf Sabines Gesicht.

Fröhlich sagte Margot: »Er war ein mieser, kleiner, mickriger Scheißkerl.«

Sabine fuhr herum. »Margot!«

»Das hättest du mir nicht zugetraut, was?« Margot

grinste. Laura redete so. Laura, die jetzt leider weg war. Schnell drehte Margot sich wieder Sabine zu. Sie vermisste Laura nicht. »Probier's mal aus, es fühlt sich gut an!«

Sabine sah sie verblüfft an. »Scheißkerl«, sagte sie, erst leise, dann wiederholte sie es lauter und lachte.

Sie schwiegen eine Weile, hörten dem Radio zu, das irgendeinen Popsong spielte, den Margot nicht kannte. Laura hätte bestimmt den Titel gewusst.

Margot summte leise mit. Sie sollte Sabine ihren Verdacht gestehen. Es war nicht richtig. Sabine war so ehrlich gewesen, da musste Margot auch den Mut aufbringen.

»Wir haben in deinen Koffer gesehen.« Sie blickte starr geradeaus auf die Straße. »Er ist neulich heruntergefallen, das Schloss ist aufgesprungen, und wir haben den Inhalt gesehen.«

Sabine reagierte nicht.

»Wir dachten, du hättest eine Bank überfallen.«

»Oh.« Sabine sah auf ihre Hände, die sie ineinandergefaltet hatte. Schließlich sagte sie: »Ist Laura deswegen gegangen?«

Margot nickte.

»Oh.«

»Wir haben die falschen Schlüsse gezogen. Wieso haben wir überhaupt so etwas Schlechtes von dir gedacht? Ich weiß nicht ... Du hast dich anfangs so seltsam benommen.«

Margot ärgerte sich über sich selbst. Zuerst dachte sie so etwas Dummes, und nun konnte sie sich nicht einmal anständig entschuldigen.

»Es tut mir leid.«

Sabine nickte. »Ist schon gut.«

Margot suchte einen neuen Radiosender, im Moment liefen italienische Nachrichten, da verstand sie sowieso nichts außer *buon giorno*. Irgendwo musste doch Musik kommen.

»Stopp!«, rief Sabine.

»Was?«

»Stell zurück auf die Nachrichten!«

Margot stellte den vorigen Sender wieder ein, und Sabine lauschte konzentriert.

»Was ist denn?«, fragte Margot, als der Sprecher aufgehört hatte zu reden und Musik einsetzte.

Sabine kratzte sich an der Nase. »Es gab irgendeine Aufregung.«

Das klang ausweichend.

»Wegen dieses Bankraubs? Dem in Innsbruck, an dem du nicht beteiligt warst? Entschuldige.«

Sabine öffnete die Schlösser ihres Aktenkoffers und ließ sie wieder zuschnappen. Öffnete sie. Ließ sie wieder zuschnappen. Klack. Klack. Klack.

»Nein.« Sie sah gedankenverloren aus dem Fenster. »Es hat einen Anschlag auf den Polizeipräsidenten gegeben.«

Margot seufzte auf. Es hatte nichts mit ihnen zu tun.

»Eine offenbar bewaffnete ältere Frau hat ihn heute Morgen angegriffen. Glücklicherweise ist es ihm gelungen, sich mit einem beherzten Sprung in den Trevi-Brunnen vor Schlimmerem zu retten. Nach der Frau und ihren beiden jüngeren Komplizinnen wird gefahndet.«

34

Laura drückte sich fast die Nase an der Fensterscheibe platt. Wieso fuhr der Zug so langsam? Nervös rieb sie sich über den Bauch. Die Geste hatte sie in den letzten Tagen so oft unbewusst ausgeführt, dass sie inzwischen fast tröstlich war. Unwillkürlich tauchte Matthias in ihren Gedanken auf. Sollte sie Sina anrufen? Die wusste vielleicht mehr. Sie zögerte, dann tippte sie eine SMS: *Was ist los? Wie kommt ihr auf Selbstmord? Mir geht's gut!* Sie klickte auf Senden und wartete.

Der Schaffner kam, knipste ihre Karte ab und sah Laura eindringlich an. Er fragte etwas auf Italienisch. Laura versuchte so strahlend zu lächeln, wie es ging, um nur ja kein Misstrauen aufkommen zu lassen.

»Tourist. *No italiano.*« Sie wedelte mit ihrem Personalausweis.

Der Schaffner lächelte noch einmal, nickte und verschwand.

Laura sah wieder aus dem Fenster. Als ihr Handy klingelte, rollte sie mit den Augen. Sie hatte Sina eine SMS geschickt, damit sie nicht mit ihr reden musste. Sie drückte den Anruf weg. Kurze Zeit später antwortete Sina per SMS: *Laura! Wo bist du? Bist du verrückt? Ich werd wahnsinnig! Ruf mich an!*

Laura seufzte, das hatte keinen Zweck. Sie begann eine weitere SMS zu tippen, löschte sie wieder. Was sollte sie auch schreiben? Ach, übrigens, Matthias, du wirst Vater? Sie schaltete das Telefon wieder aus und ließ es zurück in ihre Tasche gleiten. Irgendwann würde sie ihm von der Schwangerschaft erzählen müssen, daran führte kein Weg vorbei. Laura beschloss, ihn in den nächsten Tagen anzurufen.

Aber jetzt hatte sie Wichtigeres zu tun.

Der Zug hielt endlich, das grüne Schild mit dem kleinen weißen »Napoli« darauf hätte sie fast übersehen. Die Heimfahrt musste noch warten, jetzt hatte sie etwas zu erledigen.

Laura griff nach ihrer Tasche und drängte nach draußen. Am anderen Ende des Waggons konnte sie den Schaffner sehen. Er redete mit jemandem. Mit jemandem, der Laura sehr bekannt vorkam. Das durfte doch nicht wahr sein! Diese hinterhältige Schildkröte! Laura stürmte auf den Bahnsteig und in die Halle. Dabei hätte sie beinahe einen Kinderwagen umgerannt. Sie rempelte zwei Männer an. Hatte sich dieser Schaffner von diesem Privatdetektiv einspannen lassen? Der Typ war anhänglicher, als sie gedacht hatte. War seine Rede von Sabine gelogen gewesen? Oder wollte er durch Laura Sabine wiederfinden? Oder … Laura hielt den Atem an. Brauchte er jetzt eine andere Einnahmequelle und wollte sie bei ihren Eltern abliefern?

Na dann! Den schlechtesten Privatdetektiv der Welt würde sie wohl noch abhängen können!

Laura schlängelte sich durch die Menschenmassen auf den Bahnhofsvorplatz. Durch unzählige Touristen und Einheimische, die von der Arbeit kamen, vor neugierigen Blicken geschützt, machte sie sich auf den Weg.

Blieb nur die Frage, wie sie Margot und Sabine finden sollte.

Immer der Nase nach war das Einzige, was ihr einfiel. Wie sie Margot kannte, war sie auf der Jagd nach Sehenswürdigkeiten.

35

Lustlos blätterte Margot in ihrem Reiseführer. Sie standen auf einem sündhaft teuren Parkplatz in der Innenstadt und überlegten, was sie besichtigen sollten. Margot fand plötzlich alles schrecklich uninteressant.

»Porta hier, Porta dort, der Dom des heiligen Januarius, die Kirche Gesú Nuovo«, las sie vor. »Das klingt langweilig.« Es war ihr sogar egal, wie man Gesú Nuovo aussprach.

»Wir könnten einkaufen gehen«, schlug Sabine vor.

»Das ist auch langweilig«, sagte Margot. Sie steckte den Reiseführer ein und verschränkte die Arme vor der Brust.

»Es gibt hier eine U-Bahn«, versuchte Sabine sie aufzumuntern. Es half nur für einen Augenblick.

»Ich hasse U-Bahn-Fahren«, verkündete Margot. Nein, sie vermisste Laura ganz und gar nicht, es lag einfach an der Stadt. »Neapel gefällt mir nicht.« Sie seufzte, sie wusste, sie klang gerade wie Laura. Sie sah Sabine an und gab nach. »Wir können es ja mit einem Kaffee probieren«, willigte sie ein. »Ein Kaffee wäre gut.« Außerdem musste sie viel trinken. Wenn Laura schon nicht dabei war, um sie jede halbe Stunde ans Trinken zu erinnern, musste sie sich selbst darum kümmern.

Sabine grinste.

Auf der Suche nach einem Café wanderten sie durch die Straßen. Margot spürte die Spätnachmittagssonne auf ihrem Gesicht, und plötzlich fühlte sie sich besser. Sie musste zugeben, dass Neapel doch nicht so furchtbar langweilig war. Obwohl es gar nicht so weit entfernt lag von Rom, war die Atmosphäre ganz anders. Margot konnte die Geschichten um die Camorra förmlich in der Luft riechen.

»Meinst du, die Verbrecherorganisationen haben Neapel immer noch in der Hand?«, fragte sie Sabine. Sabine konnte solche Dinge wissen. Sabine war ... Sabine.

»Entschuldigung«, sagte Margot schnell. »Du bist ja gar keine Bankräuberin.«

»Oh, ich habe diese Bank nicht überfallen«, gab Sabine zurück. »Aber wenn du wüsstest, was ich sonst in meinem Leben schon angestellt habe!« Sie zwinkerte Margot zu.

Margot musste lächeln. Eine fröhliche Sabine mit kurzen Haaren. Sie erkannte die ernste, verschlossene Sabine von vor ein paar Tagen kaum wieder.

»Verstehe. Dein Cousin ist Clanführer der Mafia in Sizilien! Deshalb sprichst du also so gut Italienisch.«

Sabine lachte und schüttelte den Kopf. »Clanfüh-

rer … Ich glaube, du hast zu viele Filme gesehen.«
Dann raunte sie: »Er ist der Don.«

Margot lachte. »Sieh mal, da gibt es Kunstbücher!«
Sie lief zu einer kleinen Buchhandlung, die hauptsächlich dicke Wälzer und Reiseführer anbot.

»Die sixtinische Kapelle«, las Sabine vor. »Die steht doch in Rom.«

»Wenn Michelangelo heute lebte, wäre er auch Graffitikünstler.« Davon war Margot überzeugt. »Ob man nun Wände innen oder außen bemalt, macht keinen Unterschied.«

Sabine nickte, aber es wirkte skeptisch. »Da hätte er allerdings nicht so viel verdient.«

»Wir leben ausschließlich für die Kunst. Geld ist uns egal.«

Margot schnappte sich drei der Bücher und trug sie zur Kasse. Vielleicht sollte sie außer Tomaten …

»Wie wäre es jetzt mit dem Kaffee?«, fragte sie Sabine, als sie ihre Last dann nach draußen schleppte.

Ein gemütliches Café gab es nicht, sie mussten mit einer Bar vorliebnehmen, die aber immerhin Stühle und Tische auf der Straße stehen hatte. Margot klappte einen ihrer neuen Schätze auf und blätterte darin.

»Wie findest du Gurken?«

»Lecker?« Sabine blinzelte.

»Nein, als Kunstwerk«, erklärte Margot. »Grünen Nagellack habe ich ja schon.«

Sie schlug das Buch zu und bestellte einen Espresso. Für die Kunst hatte sie noch den ganzen Abend im Hotelzimmer Zeit.

»Was ist eigentlich mit dir?«, fragte Sabine, nachdem der Kaffee gebracht worden war. »Bist du verheiratet?«

»War. Ich war verheiratet. Jetzt bin ich verwitwet.« Margot rührte in ihrer Tasse. Warum sollte sie es nicht erzählen? Sabine hatte auch ihr Herz ausgeschüttet. Sie holte tief Luft. »Mein Mann ist vor ein paar Tagen gestorben.«

»Oh … Das tut mir leid.«

Eine Weile tranken sie schweigend ihren Kaffee.

»Ich dachte, ich spüre es nicht.«

Sabine sah sie neugierig an.

»Wir hatten ein gutes Leben. Ein nettes Leben. Einen Sohn, Daniel. Du kennst ihn ja vom Telefon.« Er hatte zwar vermutlich nicht den besten Eindruck hinterlassen, aber Sabine schien das nicht zu stark zu bewerten. Sie sah sie nur aufmerksam an. »Trotzdem war es langweilig. Eddie und ich, wir waren wie eine Wohngemeinschaft, zwei Untermieter im gleichen Haus, die sich irgendwann nichts mehr zu sagen hatten.«

Sabine nickte.

Margot winkte dem Kellner und bestellte noch ein Glas Wasser. Ihr Mund fühlte sich trocken an. »Bei der Beerdigung habe ich nicht geweint, keine Träne vergossen.«

Sabine zuckte mit den Schultern. »Beim Tod meines Mannes würde mir auch nicht das Herz brechen.«

Das war etwas anderes, fand Margot. Eddie war ein guter Mann gewesen, er hatte sie nie schlecht behandelt.

»Ich habe auf die Leere in mir gewartet. Darauf, dass sich ein Loch in meinem Herzen oder in meiner Seele auftut, wie man das so schön sagt.«

»Und?«

Margot schüttelte den Kopf. »Es ist nicht in mir, sondern neben mir.« Sie trank noch einen Schluck Wasser. »Ich sehe eine Werbung, mir fällt ein Buch ins Auge, ein Zeitungsartikel, und ich drehe mich um und will Eddie davon erzählen. Aber da, wo er immer war, dort neben mir, da ist das Loch. Und ich kann Eddie nicht von dem verrückten jungen Ding erzählen, das schwanger von zu Hause weggelaufen ist, oder von der wunderbaren starken Frau, die wir für eine Bankräuberin gehalten haben. Denn Eddie ist nicht da, da ist nichts, niemand, nur ein Loch.« Ihre Stimme zitterte.

Sabine reichte ihr ein Taschentuch, und Margot schnäuzte sich.

»So, Schluss mit Sentimentalitäten.« Sie nahm ihren Reiseführer. »Wir haben eine Menge zu tun. Eine Sehenswürdigkeit schaffen wir noch, bevor es dunkel wird. Wie spricht man eigentlich Gesú Nuovo aus?«

36

Sabine ignorierte die neugierigen Blicke der Menschen, während sie durch die Straßen von Neapel joggte. Normalerweise lief sie lieber in einem Park oder an einem Fluss entlang, aber in Neapel kannte sie sich nicht aus. Trotzdem musste sie laufen, vermisste ihr Training so stark, dass sie meinte, es nicht länger auszuhalten. Nachdem sie Margot in ein Hotel gebracht hatte, war sie einfach in ihrer Straßenkleidung an den Touristen vorbei durch die Stadt gerannt.

Warum konnte sie auch nie etwas richtig machen? Es war alles ihre Schuld! Laura war weg, Margot war traurig, und alles nur, weil sie, Sabine, wieder einmal versagt hatte. Sie war zu nichts zu gebrauchen, Robert hatte recht. Sie presste die Fingernägel in die Handflächen, bis es schmerzte. Hör auf damit, schimpfte sie mit sich selbst. Robert war weit weg, noch weiter als Laura, sie war frei. Außerdem war Margot noch bei ihr.

Einatmen, ausatmen, einatmen, ausatmen. Langsam fand Sabine in einen Rhythmus. Ihr Herz klopf-

te schneller, aber regelmäßiger, die Füße stampf-
ten den Takt in den Staub. Noch fünfhundert Meter,
sechshundert. Sabine begann sich zu entspannen.
Ihre Finger entkrampften, und sie spürte, wie die
Muskeln in ihren Schultern sich lockerten.

Tapp, tapp, tapp, tapp. Das eintönige Geräusch ihrer Schritte beruhigte sie, und auch ihr Kopf begann
leichter zu werden. Ihre Gedanken hörten auf, sich
im Kreis zu drehen.

Sie kam an einem Zeitungsstand vorbei, an dem
eine junge Polizistin sich mit ihrem Kollegen über
die Titelseite eines Blattes unterhielt. Sie wedelte
aufgeregt mit der Zeitung herum und schüttelte heftig den Kopf. Sabine versuchte gar nicht erst, das
Foto anzusehen, egal, was es zeigte.

Sie selbst wurde nicht gesucht. Himmel, wie
kamen Margot und Laura darauf, dass sie eine
Bankräuberin war? Aber für Margot würde es in
der nächsten Verkehrskontrolle nicht einfach werden.

Tapp, tapp, tapp, tapp. Ein Lächeln stahl sich auf
ihr Gesicht. Laura war nicht mehr da, aber sie. Margot war noch bei ihr und brauchte Hilfe. Wenn Sabine
bisher nur Unsinn angerichtet hatte, würde sich das
nun ändern. Margot würde nicht ins Gefängnis wan-
dern. Und wenn ihr etwas einfiel, dann auch ganz sicher nicht ins Altenheim. Tapp, tapp, tapp, tapp. Es
mussten etwa drei Kilometer sein, die sie jetzt hinter

sich hatte. Einatmen, ausatmen. Ruhe breitete sich in ihr aus, während die Muskeln in ihren Oberschenkeln schwerer wurden.

Sie hatte ein Ziel.

37

Es hatte eine Ewigkeit gedauert herzufinden. Und sie konnte kaum glauben, dass sie es geschafft hatte. Zuerst war sie durch die Straßen geirrt, als sie schließlich erschöpft in einen Bus gestiegen war, hatte sie zufällig Margots Auto vorbeifahren sehen. An der nächsten Haltestelle war sie erleichtert ausgestiegen und noch einmal eine halbe Stunde durch kleine Seitenstraßen gelaufen, bis sie den Wagen wiedergefunden hatte. Direkt neben einer kleinen Pension, deren Besitzer ihr bereitwillig Auskunft erteilt hatte über die beiden Frauen in Zimmer 309.

Jetzt stand sie vor der Tür und wurde unsicher. Was sollte sie sagen? Sie musste sich bei Sabine entschuldigen. Aber wie?

Sie hob die Hand, um zu klopfen, senkte sie wieder. Da wurde die Tür geöffnet, und Sabine stand vor ihr.

Laura holte tief Luft. Und atmete wieder aus. »Ich bin wieder da.«

»Laura!«

Margot sprang vom Bett auf, wo sie gelegen und

offenbar in ihrem Reiseführer geblättert hatte. Was auch sonst?

Sabine nickte und lächelte. Sie öffnete die Tür weiter.

»Komm rein!« Margot zog sie am Arm ins Zimmer, sie strahlte über das ganze Gesicht. »Wie schön, wir haben dich schon vermisst!«

Sabine bestimmt nicht. Apropos Sabine …

»Es tut mir leid.«

Laura traute sich nicht, der anderen in die Augen zu sehen. Wie entschuldigte man sich bei der Frau, die man eines Bankraubs verdächtigt hatte?

Sabine machte eine wegwerfende Handbewegung. »Ist schon in Ordnung.«

»Wie hast du uns gefunden?«, fragte Margot aufgeregt. »Du kluges Mädchen!« Ihre Miene wurde wieder ernst. »Ach du je, dann kann die Polizei nicht weit sein.«

»Vor denen müssen wir gar nicht flüchten.«

Laura wollte zu einer Erklärung ansetzen, erzählen, was sie von der Schildkröte erfahren hatte, aber Margot fiel ihr ins Wort.

»Ich fürchte, der Mann, den ich unglücklicherweise in den Trevi-Brunnen geschubst habe, war Roms Polizeipräsident.«

»Und der war alles andere als begeistert«, unterstrich Sabine.

Laura musste sich setzen. Sie ließ ihre Tasche neben sich auf den Boden und sich selbst in den einzigen Sessel im Raum fallen.

»Das darf doch nicht wahr sein! Auf der Flucht vor imaginären Verbrechen begehen wir wirklich welche.«

»Das Leben als Outlaw ist eben aufregend.« Hoheitsvoll rückte Margot ihre Perlenkette zurecht. »Ich werde der Star im Altersheim sein. Was glaubt ihr, die wollen doch alle meine Geschichten über mein Verbrecherleben hören!«

Laura zog die Augenbrauen hoch. »Du willst echt ins Altersheim, wenn du zurück in Deutschland bist?«

Für einen Augenblick wirkte Margot verunsichert. »Darüber machen wir uns später Gedanken. Zuerst müssen wir die Rückkehr der verlorenen Tochter feiern.« Sie zwinkerte und holte ein kleines silbernes Päckchen aus ihrer Handtasche. »Ich hab noch niemals in meinem Leben gekifft.« Sie wickelte das Päckchen aus und klopfte auf das Bett. »Kommt, setzt euch.«

»Das ist doch nicht dein Ernst!« Laura hätte ihren Entschluss herzukommen beinahe wieder bereut. »Ich bin schwanger.«

»Marihuana soll sehr gut bei krankheitsbedingten Schmerzen helfen.« Woher wusste Margot das schon wieder? »Und diese ewige Lauferei bereitet mir Schmerzen.« Sie hob dramatisch einen Fuß, dann zog sie eine Packung Zigaretten aus der Handtasche. »Die brauchen wir angeblich, hat mein ita-

lienischer Freund gesagt.« Sie sah auf die auseinan-
derfallenden Krümel im Alupapier. »Und was mach
ich jetzt damit?«

Sabine schüttelte den Kopf und nahm Zigaretten
und Marihuana an sich.

»Hast du Blättchen?«

Margot griff in ihre Handtasche. »Klar!« Sie hielt
ein kleines blaues Briefchen in die Höhe.

Sabine nickte. Geschickt öffnete sie eine Zigaret-
te, ließ den Tabak auf ein Blättchen fallen und ver-
mischte ihn mit einigen Krümeln Marihuana. Dann
leckte sie das Blättchen an, und nicht einmal dreißig Sekunden später hielt sie einen fertig gebauten
Joint in der Hand.

»Ich frag einfach nicht«, murmelte Laura.

Die Frau mochte keine Bankräuberin sein, aber
woher sie das so gut konnte, wollte Laura lieber nicht
wissen.

Sabine grinste und riss ein Streichholz an. Sie
nahm einen tiefen Zug und reichte den Joint an Laura weiter. Die zögerte.

»Ein Zug wird schon nicht schaden.«

Sina hatte sie ein paarmal zum Rauchen überre-
det, also nahm sie einen Zug. Es brannte, schmeckte
ekelhaft, aber sie musste nicht husten.

Das erledigte Margot zur Genüge.

»Himmel hilf, das brennt ja!« Keuchend rang sie
um Atem. »Na, jetzt tut mir meine Lunge weh, da

kann das Zeug mal zeigen, ob es die Schmerzen wieder in den Griff kriegt.«

Der Joint machte die nächste Runde.

Laura spürte überhaupt nichts. Das sollten illegale Drogen sein?

»Die Schildkröte ist in Sabine verliebt«, sagte Laura schließlich.

»Eine Schildkröte ist in Sabine verliebt?« Margot kicherte und stupste Sabine an.

Die nickte ernst. »Amphibien mögen mich.«

»Reptilien«, korrigierte Margot.

»Aber die sind doch ständig im Wasser!« Sabine reichte den Joint wieder Laura.

»Was soll der Thomas denn im Wasser?« Laura schüttelte den Kopf. Die beiden anderen waren offensichtlich schon völlig benebelt.

»Thomas?«, fragte Margot. »Gehört dem die Schildröte?«

»Thomas *ist* die Schildkröte!«

Da Margot und Sabine erkennbar begriffsstutzig waren, erzählte Laura ihnen ausführlich von ihrem Treffen am römischen Bahnhof mit Thomas und seinem hageren Schildkrötenhals.

»Er trinkt Espresso und schüttet sich dann Kaffeesahne hinein!« Sie schüttelte sich. »Wir müssen Sabine vor ihm beschützen«, schloss sie ihre Ausführungen.

Sabine starrte sie an.

Laura sah auf Sabines Hände, erinnerte sich an blutige Nasen und schloss die Augen. »Vielleicht müssen wir Thomas vor Sabine beschützen.«

Margot nickte nachdrücklich. »Wir könnten so etwas wie Robin Hood sein.«

»Von den Reichen stehlen und es den Armen geben?« Sabine legte den Kopf schräg.

Margot schüttelte den Kopf. »Von den Bösen stehlen und es den Guten geben.« Sie blickte zu Sabines Aktenkoffer, der in einer Ecke des Zimmers stand. »Wir sind gut. Wir beschützen Unschuldige.«

Laura nickte.

»Auf uns!« Sabine hielt den Joint in die Höhe.

Margot kramte eine Wegwerfkamera aus ihrer Handtasche. »Diesen bedeutsamen Moment sollten wir festhalten.«

Sie setzte sich zwischen Laura und Sabine, hielt die Kamera weit von sich und betätigte den Auslöser. Höchstwahrscheinlich würden drei unscharfe Nasen auf dem Foto zu sehen sein.

»Ich hab Hunger«, fiel Laura auf. Das belegte Brötchen in Rom war das Letzte, was sie gegessen hatte.

»Hervorragende Idee!«

Margot strahlte, als Sabine nickte, zu ihrem Aktenkoffer ging und ihn aufschnappen ließ. Sie nahm ihre Handtasche und den Zimmerschlüssel an sich.

Obwohl sie den Inhalt des Koffers kannte, blieb

Laura beim Anblick des ganzen Geldes der Mund offen stehen. Der ohnehin schon sehr trocken war.

»Und ich hab Durst«, fügte sie also hinzu.

Beim Aufstehen schwankte sie kein bisschen. Von wegen Drogen! Ha! Sie schnaubte und lief schnurstracks in den Türrahmen.

38

»Ich hatte doch irgendwo eine Tankstelle gesehen.«

Laura wirkte schläfrig und hatte Sabine einen Arm um die Schultern gelegt. Die stützte sie gleichmütig. Sie schien nicht nachtragend zu sein.

»Tankstellen sind deine bevorzugten Einkaufsmöglichkeiten, habe ich den Eindruck.« Margot kicherte, als sie an ihren nächtlichen Zahnbürstenkauf in Innsbruck dachte.

»Tankstellen sind nachts die einzigen Einkaufsmöglichkeiten«, korrigierte Laura. Kurz darauf streckte sie ihren Finger aus. »Da drüben! Hab ich's doch gewusst!«

Tatsächlich konnte Margot am Ende der schwach beleuchteten Straße der Wohngegend, in der ihr Hotel lag, Lichter glimmen sehen. Hin und wieder bellte ein Hund, ansonsten war es ruhig. Etwas zu ruhig für Margots Geschmack. Sie war froh, dass Sabine bei ihnen war. Mit einer Preisboxerin im Rücken waren sie für alles gerüstet.

»Schokoladenkekse.« Laura klang glücklich. »Und Chips. Wir brauchen dringend Chips.«

Dem stimmte Margot zu. Und diese scharfen grünen Nüsse. Die würden den komischen Geschmack in ihrem Mund vertreiben. Sie hatte nur zweimal an dem Joint gezogen, aber der Geschmack nach Tabak und Rauch und etwas anderem war geblieben.

»Eine Cola«, sagte sie zu Laura.

Die nickte, löste ihren Arm von Sabines Schultern und öffnete die Tür zu dem kleinen Tankstellen-Shop.

»Fall nicht über …«, begann Sabine, da stolperte Laura schon über die Türschwelle.

»Ich verdurste!«, rief Laura. Dann folgte ein »Ups«.

Margot musste sich an Sabines breitem Rücken vorbeidrängen, um zu erkennen, was Laura gemeint hatte. »Ups« in der Tat. Ob es der Joint war oder der Schreck, Margot wurde schwindlig.

Eine junge Frau zielte mit einer Pistole auf die Theke, hinter der niemand stand. Margot fragte sich, was die Waffe sollte. Dann wandte sie den Blick nach rechts, wo zwei Männer die Regale mit Alkohol abräumten. Sie trugen Skimasken, einer hielt ein Messer in der Hand. Neben der Theke machte sich jemand hinter einem Postkartenständer so klein wie möglich.

»Thomas Hinterhofer!«, flüsterte Laura erschrocken.

»Du liebe Zeit!« Margots Stimme war ebenfalls nicht mehr als ein Hauchen.

Sabine legte beruhigend eine Hand auf Margots Rücken, und Margot zwang sich, regelmäßig zu atmen. Im gleichen Augenblick schlug die Tür hinter ihnen zu.

Vier Augenpaare und eine Pistolenmündung richteten sich auf die drei Frauen.

»Aufpassen!«, schrie die Räuberin an der Theke.

Es brauchte einen Moment, bis Margot begriffen hatte, warum sie das verstand: Die Frau sprach Deutsch.

»Keinen Mucks, oder ich knall euch ab!«

Sie richtete ihre Pistole auf Sabine, die keinen Funken Angst zeigte. Margot drückte sich eng an sie, hielt ihren Ellenbogen fest, während die Räuberin sie in eine Ecke zwischen Chips und Colaautomat scheuchte. Hinter der Boxerin schien ihr in diesem Moment der sicherste Platz zu sein. Laura starrte mit offenem Mund auf die Pistole, und Margot merkte, wie sie anfing zu zittern. Sie spürte, wie ihr Magen verkrampfte, wagte es nicht, sich zu rühren. Was, wenn diese Irre anfing zu schießen? Gegen eine Pistole konnte nicht einmal Sabine etwas ausrichten.

Aber die Frau schien jetzt anderes zu tun zu haben. Sie stieg über etwas hinweg hinter die Theke und machte sich über die Kasse her. O Gott. Was lag da am Boden? Oder wer? Hatte sie jemanden erschossen?

Die Frau rüttelte wie von Sinnen an der Kasse, dann drosch sie mit der Pistole darauf ein. Schließlich sprang das altmodische Ding mit einem Klingeln auf. Sie stopfte sich das Geld in die Hosentaschen, machte einen Satz nach vorn, packte einen ihrer Helfer am Kragen, der vor Schreck eine Flasche Whiskey fallen ließ, und zerrte ihn in Richtung Ausgang.

»Genug jetzt! Starte den Wagen.«

Der zweite Mann folgte dem ersten ohne Aufforderung, beide trugen Militärrucksäcke voller Flaschen und Zigaretten. Sie hasteten an Margot vorbei nach draußen.

»Und ihr«, wandte sich die Kriminelle an die drei Frauen, »macht jetzt keine Faxen.«

»Was soll das heißen?«

Sabine stellte sich breitbeinig hin, der Frau genau gegenüber. Die musterte Sabine. Dann entsicherte sie die Pistole.

»Ihr habt nichts gesehen.«

Margot nickte eifrig. Laura presste ganz fest die Lippen aufeinander.

»Was haben wir nicht gesehen?« Sabines Stimme klang viel zu forsch.

Margot hätte ihr am liebsten den Ellenbogen in die Rippen gerammt. Normalerweise musste man ihr jedes Wort aus der Nase ziehen. Ein einziges Mal befanden sie sich in einer Situation, in der Schweigen tatsächlich Gold gewesen wäre, und sie musste mit einer Irren diskutieren.

Mit einem Satz war die Frau mit der Pistole beim

Postkartenständer und hielt dem überraschten Mann dahinter diese an die Schläfe. Sie zerrte ihn an seinem grauen Trench nach vorn. Sein Adamsapfel hüpfte aufgeregt an seinem Hals auf und ab. Er wirkte wie eine Schildkröte auf dem Rücken.

»Meine Versicherung.« Langsam ging die Frau mit dem Mann als Deckung an ihnen vorbei. »Keine Polizei.«

In der Tür blieb sie stehen, packte den Privatdetektiv am Hals, riss die Pistole nach oben und schoss. Es dröhnte ohrenbetäubend, eine Platte fiel aus der Decke auf ein Regal mit Erfrischungsgetränken, die klirrend auf dem Boden zersprangen.

Als Margot es wagte, die Augen wieder zu öffnen, sah sie, wie die Frau ihre Geisel in einen dunklen Audi schubste und selbst hinterhersprang. Dann fuhr der Wagen davon.

»Sie haben Thomas Hinterhofer!« Laura sah dem Auto mit aufgerissenen Augen nach. »Sie haben Thomas! Sie haben Thomas!« Ihre Stimme wurde immer schriller.

Margot konnte nur zustimmend nicken, dann lehnte sie sich mit dem Rücken gegen ein Regal, doch ihre Knie gaben nach, und sie rutschte daran herunter auf den Boden. Eine Colaflasche rollte zu ihr, blieb neben ihr liegen. Ich sollte etwas trinken, dachte sie.

Sabine gab Laura einen Stoß in die Rippen. »Halt die Klappe«, sagte sie. Aber es klang freundlich.

Dann bückte sie sich, schraubte die Colaflasche auf und gab sie Margot. Wie gefasst sie war. Margot konnte nur »danke« krächzen. Sabine tätschelte Margots Bein und erhob sich wieder.

»Was machen wir jetzt?«, fragte sie.

Laura hielt sich den Bauch. »Mir ist schlecht.«

»Dann setz dich.« Sabine reichte ihr eine Flasche Wasser aus dem Regal hinter ihr.

Laura trank einen Schluck, dann sah sie Margot unschlüssig an. »Polizei?«

Margot überlegte.

»Wir werden gesucht«, sagte sie, »wir sind bekifft und in einen Überfall verwickelt. Wie kommt das wohl an?«

»Und es gibt keine Zeugen außer uns«, ergänzte Sabine und öffnete zischend eine Dose Fanta.

»Doch.« Lauras Stimme war immer noch nicht lauter als ein Flüstern. Sie deutete hinter die Theke. Ein Arm ragte dort hervor. Margot drehte schnell den Kopf weg.

»Haben sie ihn erschossen?«

Sabine lief mutig hinüber und hockte sich hin, fühlte seinen Puls.

»Er ist nicht verletzt. Scheint nur ohnmächtig zu sein.«

»Und jetzt?« Laura erwachte aus ihrer Starre. »Wir müssen was tun. Ich meine, sie haben den Hinterhofer in ihrer Gewalt!«

Sie raffte sich hoch, lief unruhig auf und ab. »Wir können ihn nicht im Stich lassen. Er hat uns beschattet, und er ist ein Privatdetektiv, aber er ist jetzt eine Geisel. Unverschuldet!«

»Eine gestrandete Schildkröte«, sinnierte Margot. Der Überfall hatte sie ganz durcheinandergebracht, sie konnte einfach keinen klaren Gedanken fassen. »Aber wenn wir die Polizei nicht rufen können, wie …«

»Hinterher!« Sabine ließ den Arm des Tankstellenbesitzers sinken und stand auf. »Wir müssen hinterher. Jetzt! Wir dürfen ihre Spur nicht verlieren.«

Margot wollte protestieren, da riss Laura sie am Arm hoch. »Los, komm schon!«

Sie hetzten gemeinsam die Straße hinunter, glücklicherweise war die Pension nicht weit entfernt.

»Kannst du fahren?«

Margot nickte und setzte sich hinters Steuer. Nur kurz dachte sie an die dicken Kunstbücher. Schon wieder musste sie etwas Liebgewonnenes in einer Pension zurücklassen. Unzählige Gedanken wirbelten durch ihren Kopf. Gut, dass sie nur zweimal an dem Joint gezogen hatte. Dass sie sich tatsächlich fahrtüchtig fühlte, hatte mehr mit dem Überfall zu tun als mit dem Marihuana. Unschuldige beschützen … genau das hatten sie sich zum Ziel gemacht.

39

Laura sprang auf den Beifahrersitz, schlug die Tür zu, und noch während sie sich anschnallte, schaltete Margot in den zweiten Gang.

»Wo wollen wir denn hin?«, rief Laura.

»Hinterher!«, schrie Sabine.

»Wo lang?«, fragte Margot.

Den Gangstern hinterher. An der Tankstelle rechts. Aber dann?

»Sie wollen raus aus der Stadt! Ganz sicher.« Sabine saß fast zwischen ihnen, so weit hatte sie sich vor Aufregung vorgebeugt. »Jetzt rechts!«

Margot riss das Lenkrad herum. Es holperte, sie nahmen den Bordstein mit, aber sie erwischten die Kurve. Gerade eben so. Margot gab wieder Gas.

Laura hielt sich an ihrem Sitz fest. Der Keilriemen quietschte, die Reifen qualmten, der Motor stöhnte. Die alte Kiste durfte nicht schlappmachen!

Am Ende der Straße tauchten orangefarbene Lichter auf. Laura kniff die Augen zusammen. »Vorsicht, Baustelle!«, rief sie.

»Was?« Margot trat auf die Bremse.

»Rechts, rechts!«, schrie Sabine vom Rücksitz. »Schnell, und jetzt geradeaus.«

Es musste doch möglich sein, den Vorsprung der Verbrecher wieder wettzumachen! Und richtig! Ein paar Minuten später befanden sie sich auf einer Landstraße außerhalb Neapels.

»Da sind sie«, rief Sabine und fiel zurück in ihren Sitz.

Tatsächlich. In der Ferne waren Rücklichter zu sehen. Sie holten auf. Laura knabberte an ihren Fingernägeln. War das aufregend! Fast wie im Fernsehen. Wenn sie das Sina erzählte!

»Und?« Margot schaltete wieder herunter. »Wie können wir wissen, dass sie es sind? Dunkle Audis gibt es wie Sand am Meer! Hat sich eine von euch das Nummernschild gemerkt?«

Mist.

»Und wenn wir sie überholen?« Lauras Nägel hatten genug gelitten, sie setzte sich auf ihre Hände. »Dann können wir sie sehen.«

»Sie uns aber auch«, warf Sabine ein.

Wie blöd. Wie machten die das im Fernsehen denn immer?

»Wie stellen wir diese Verfolgung denn überhaupt an?«, fragte Margot.

Laura zuckte mit den Schultern. »Im Fernsehen sieht das einfacher aus.«

»Nicht zu auffällig«, sagte Sabine. Natürlich. Sie

war die Expertin in Sachen Kriminalität. »Wir dürfen nicht zu dicht ran.«

Was auch immer unter »nicht zu auffällig« zu verstehen war. Vielleicht war die Verfolgung doch keine so gute Idee gewesen. Lauras Magen knurrte. Davon war im Fernsehen nie die Rede.

»Etwas zu essen haben wir auch nicht.« Deshalb waren sie doch überhaupt erst zur Tankstelle gegangen. In Lauras Kopf wurde es klarer, und die Verfolgungsidee verlor immer mehr an Attraktivität.

»Deutschland!«, rief Margot plötzlich. »Sie hat Deutsch gesprochen, sie müssen aus Deutschland oder Österreich sein. Wir erkennen sie am Nummernschild!«

»Dazu müssen wir echt dicht ran.«

Ob das gut ging? Glücklicherweise war es dunkel. Die anderen würden sie hoffentlich nicht entdecken.

»Kein Problem.« Margot gab wieder Gas. Sie fuhr immer näher auf, bis Sabine triumphierend ausrief: »Wir haben euch!«

Es war tatsächlich ein österreichisches Nummernschild, I.

»Innsbruck?« Lauras Herz klopfte schneller. »Innsbruck wie in ›*Überfall auf Innsbrucker Sparkasse*…‹?«

»Ach du heiliger Strohsack!«

Margot war wieder ins Flüstern verfallen. Das bedeutete bei ihr Entsetzen, hatte Laura inzwischen gelernt.

»Und was machen wir jetzt?«

»Nicht offensichtlich verfolgen«, murmelte Margot. »Frauen, die eine Pistole haben und an Tankstellen Geiseln nehmen, sollte man nicht zu offensichtlich verfolgen.« Sie drosselte das Tempo.

Die Landstraße war nur schwach beleuchtet, hin und wieder passierten sie Dörfer. Der Audi fuhr weiter Richtung Süden.

»Wie lange geht das jetzt so?«

Laura hatte Mühe, die Augen offen zu halten. Nichts Aufregendes passierte, das gleichmäßige Brummen des Motors schläferte sie ein. Das Nächste, was sie wahrnahm, war Margots Hand, die an ihrem T-Shirt-Ärmel zupfte.

»Wir sind da.«

»Da? Wo?«

Laura reckte sich, rieb sich die Augen und sah nach draußen. Es war immer noch stockfinster, das Auto parkte in einer kleinen engen Straße, die genauso unbeleuchtet war wie die kleine enge Straße vor der Pension.

»Irgendwo im Nirgendwo.«

Margot wirkte müde und ein klein wenig älter als in den vergangenen Tagen. So viele Falten hatte Laura in ihrem Gesicht noch nicht wahrgenommen.

»Ungefähre Richtung?«, wollte Laura wissen.

»Süden.« Sabine klang überhaupt nicht müde. Und überhaupt nicht hilfreich.

»Neapel hätte ich auch schon als Süden bezeichnet.«

»Noch weiter südlich. Aber südöstlich. Wir sind einmal quer rüber zur anderen Küste gefahren. Ich schätze, sie wollen nach Brindisi.« Woher wusste Sabine so etwas? »Von dort setzen Fähren über, nach Griechenland zum Beispiel.«

»Sie wollen also nicht nach Sizilien?«, fragte Laura. Sie war enttäuscht. »Ich hatte gedacht, wegen der Mafia und so.« Außerdem hätten sie dann noch Palermo und den Vulkan, dessen Name ihr gerade nicht einfiel, besuchen können.

Sabine schüttelte den Kopf.

»Und wie sieht der Plan aus? Wie befreien wir die Schildkröte?«

Laura blickte durch die Fensterscheibe und versuchte, draußen etwas zu erkennen. Außer einer streunenden Katze konnte sie jedoch nichts sehen. Ihre Rettung des armen Privatdetektivs war gar nicht mehr aufregend.

»Observieren!« Sabine wirkte tatsächlich fröhlich.

»Ich ahne Schlimmes«, murmelte Margot.

»Wir müssen sie im Auge behalten«, erklärte Sabine.

Da pflichtete Laura ihr bei, so langwierig sich diese Unternehmung auch gerade gestaltete. »Stell dir vor, wir verlieren ihre Spur. Dann war all die Mühe umsonst!«

Margot sah unschlüssig aus.

»Wir wechseln uns ab«, schlug Sabine vor. »Jede von uns hält einmal Wache, während die anderen beiden schlafen können. Ich fange an.« Sie sah auf die Uhr. »In drei Stunden, also um vier, wecke ich Laura. Um sieben bist du dran, Margot.«

»Und wie erklären wir unsere Wechselschichten im Hotel?« Margot zog die Augenbrauen zusammen.

»Warum Hotel? Wir schlafen natürlich im Auto!«

Laura und Margot stöhnten gleichzeitig auf.

»Aber wenn eine beobachtet, könnten die anderen beiden schön gemütlich in einem richtigen Zimmer ...« Auf Sabines Stirnrunzeln brach Margot ab.

»Seht mal, die beiden Vordersitzlehnen kann man nach hinten kippen, und hier auf der Rückbank kann sich eine von uns sogar ausstrecken«, erklärte Sabine.

Margot drehte sich um. »Für euch junges Gemüse mag das noch angehen, aber ich bin für eine Nacht im Auto definitiv zu alt!«

»Und ich bin schwanger!« Waren es nicht immer alte Menschen und Schwangere, für die man in Bussen den Platz freimachen sollte? Laura seufzte. Aber was war die Alternative? »Ich fürchte, du hast recht«, sagte sie zu Sabine. »Wie sollen wir vom Hotel schnell genug am Auto sein? Wo finden wir überhaupt ein Hotel, das unsere Pässe nicht sehen will?«

Margot faltete ihre Hände im Schoß. Sie sah unglücklich aus.

»Wenn wir jetzt kneifen, sind wir schuld, wenn sie ihrer Geisel etwas antun«, versetzte Sabine ihnen den Todesstoß.

»Dann also eine Nacht im Auto.« Laura hatte resigniert. »Für die Schildkröte.«

»Nur unter einer Bedingung«, sagte Margot. »Wir gehen morgen früh zur Polizei. Und danach werden wir fantastisch frühstücken.«

»Das sind zwei Bedingungen.«

Margot warf Laura einen vernichtenden Blick zu, sodass diese entschuldigend die Hände hob.

»Was sagen wir der Polizei?« Sie zog die Nase kraus. Sie wurden schließlich gesucht.

»Wir könnten anonym eine Anzeige aufgeben.« Margot hatte auf alles eine Antwort.

»Wenn wir dort hingehen, sind wir nicht mehr anonym.«

»Solange wir nicht sagen, wie wir wirklich heißen, ist alles in Ordnung.«

Laura war zwar nicht vollständig überzeugt, aber sie war zu müde, um weiterzudiskutieren. Sie fuhr ihre Sitzlehne zurück und steckte ihre Tasche als Kissenersatz hinter den Kopf.

Während Sabine und Margot die Plätze tauschten, damit Margot sich hinlegen und Sabine besser beobachten konnte, murmelte sie: »Wir sollten eigentlich Finderlohn oder so etwas von der Polizei bekommen. Verfolgungslohn.«

Margot drehte sich erst auf die eine Seite, dann auf die andere. »Der ganze Luxus im Hotel wäre sowieso an uns vorbeigegangen. Unsere Toilettenartikel haben wir in Neapel liegen gelassen.«

Laura musste lächeln. Margot war ein Stehaufmännchen.

»Ach du Schreck, eine Toilette!«, fiel Laura daraufhin ein.

»Ist doch dunkel«, knurrte Sabine.

Seufzend stieg Laura aus dem Auto und suchte nach einem Busch.

40

Vorsichtig beugte Sabine sich in den Fußraum des Autos, um Margots Handtasche aufzuheben. Ihr eigenes Handy lag in Verona am Grund des Adige. Leise stieg Sabine aus dem Auto. Margot und Laura schliefen, da wollte sie die beiden nicht stören. Es war ohnehin besser, wenn sie ihr Telefonat allein erledigte. Es war ihre Schuld, dass es so weit gekommen war. Thomas Hinterhofer war hinter ihr her, und jetzt hatte sie auch noch Margot und Laura in ihre Probleme hineingezogen. Es war Zeit, dass sie zumindest für einen Teil ihres Lebens Verantwortung übernahm.

Die frische Nachtluft war angenehm, ließ Sabines erhitzten Kopf abkühlen. Sie hatte zu viel nachgedacht, obwohl das eigentlich nicht ihre Stärke war. Handeln, das hatte sie immer schon gekonnt, denken weniger.

Sie zog ihre Unterlippe zwischen die Zähne. Wie die wenigen Tage mit den beiden anderen Frauen sie verändert hatten! Sie dachte so viel nach in letzter Zeit. Lauras Entsetzen, wenn es um Gewalt ging, hing ihr ständig nach. Sie musste endlich lernen, ihre Probleme vernünftig zu regeln. Ohne Gewalt, nur mit Worten.

Nervös drückte sie auf die Handytasten und hoffte, ihr erster Versuch in Diplomatie würde nicht nach hinten losgehen.

»Hallo?«, meldete er sich verschlafen. Kein Wunder, es war ja auch mitten in der Nacht.

Sabines Handflächen wurden feucht, und sie musste erst einmal tief Luft holen, bevor sie antworten konnte.

»Ich bin's.«

»Sabine?« Seinem Tonfall konnte sie entnehmen, dass er jetzt senkrecht im Bett saß, hellwach.

Sie nickte. Dann schloss sie die Augen und presste die Zähne zusammen. Er kann dich nicht sehen, schalt sie sich. Sprich mit ihm!

Sie räusperte sich. »Ich weiß von dem Privatdetektiv.«

Stille.

»Thomas Hinterhofer. Ich habe ihn getroffen.«

Als er immer noch nichts sagte, fuhr sie mutiger fort: »Das hättest du nicht tun sollen. Ich hoffe, er hat keinen Vorschuss bekommen. Das wäre nämlich herausgeschmissenes Geld.« Sie redete sich in Fahrt. »Deshalb rufe ich aber nicht an.«

»Wenn du …«

»Ich stelle die Bedingungen.« Sie schnitt ihm das

Wort ab. Er hatte genug geredet in ihrer Beziehung. Jetzt war sie dran. »Ich habe dir neulich gesagt, ich erzähle der Polizei alles, wenn du mich suchen lässt. Du hast mich suchen lassen. Ich lasse das mal durchgehen. Das Konto gehörte zur Hälfte mir. Die andere Hälfte ist Schmerzensgeld. Möchtest du das wirklich vor Gericht durchkämpfen?«

Sie wartete seine Antwort gar nicht ab. Auf das gurgelnde Geräusch, das er von sich gab, reagierte sie nicht, sie sprach einfach weiter. »Ich habe Beweise. Fotos, Besuche beim Arzt. Ich kann Zeuginnen benennen.« Sie hoffte, dass er ihren Bluff nicht durchschaute. »Mein Vorschlag: Du lässt mir das Geld. Ich lasse dir dafür deine Würde. Was meinst du, würde dein Chef sagen? Was wäre mit deinen Freunden? Wie viel Geld würde ein Anwalt kosten? Ich schätze, je nachdem, wie lange es sich hinzieht, würde es dich teurer kommen, als mich in Ruhe zu lassen.«

»Du spinnst wohl!« Er hatte die Sprache wiedergefunden.

»Robert!« Ihre Stimme wurde hart, während sie die Fingernägel in die Handfläche presste. »Das ist mein letztes Angebot. Du lässt mich in Ruhe. Du kontaktierst mich nie wieder. Das Einzige, was du tun wirst, ist, die Scheidungspapiere zu unterschreiben. Wenn nicht, richte dich auf einen langen Prozess ein.«

»Was willst du eigentlich ohne mich tun? Du kommst doch überhaupt nicht klar! Das Geld? Das ist in drei Monaten weg. Und dann? Was machst du dann?«

Sabines Fingernägel gruben sich tiefer in ihre Hand. Sie dachte an Laura, die so jung war und schwanger und doch so stark. An Margot, die hilfsbereite, gute Margot, die Angst hatte, zu alt zu sein. Sabine lächelte.

»Lass das meine Sorge sein.«

»Du glaubst doch nicht …«

Wieder unterbrach sie ihn. »Es ist mir ernst. Das ist deine letzte Chance. Ja oder nein? Kann ich mich auf unser Abkommen verlassen, oder soll ich morgen auf dem nächsten Polizeirevier vorstellig werden? Mein Auge ist inzwischen grünlich.«

Es schien eine Ewigkeit zu dauern, dann stieß Robert die Luft aus. »Lass dich nie wieder hier blicken! Komm bloß nicht angekrochen, und frag um Hilfe.«

»Wir haben einen Deal.«

Sabine unterbrach die Verbindung. Ihre Hand, die das Telefon hielt, zitterte. Sabine hielt für einen Moment den Atem an. Sie konnte ihren Herzschlag spüren, viel zu schnell.

Ob sie sich auf Roberts Wort verlassen konnte? Er war ein notorischer Lügner. Aber diesmal würde er tun, was sie verlangte. Sie kannte ihn gut genug, hatte Jahre damit verbracht, die kleinsten Stimmungsunterschiede zu bemerken und zu katalogisieren. Nein, er würde sie nicht weiter suchen. Diese neue

Sabine machte ihm Angst. Diese Sabine, die einfach davonlief. Die ihm sein Geld stahl, nach Italien fuhr und ihm schließlich drohte. Jetzt war er an der Reihe zu kuschen. Sabine ballte die rechte Hand zur Siegerfaust und lächelte zufrieden.

Dann stahl sie sich zurück ins Auto und lehnte sich glücklich in den Sitz. Sie hatte keine Zeit zu schlafen, sie war ein paar Kriminellen auf der Spur, sie musste einen Unschuldigen retten, sie hatte gerade ihren Ehemann erpresst.

Es war der schönste Tag seit einer Ewigkeit.

41

Margot wachte auf, als ihr ein Sonnenstrahl direkt ins Gesicht schien. Nun ja, ein Aufwachen konnte man es eigentlich nicht nennen, sie hatte im Halbschlaf vor sich hin gedöst. Obwohl sie den Rücksitz für sich allein gehabt hatte, war es eher unbequem gewesen.

Laura auf dem Beifahrersitz schlief noch, ihr Kopf hing schlaff auf ihrer Brust, ein kleiner Speichelfaden rann aus dem Mund auf ihre Tasche. Unwillkürlich wischte Margot an ihren eigenen Mundwinkeln herum. Sie fühlte sich furchtbar. Ihre Beine taten weh, der Nacken war steif geworden, und auch ihr Rücken hatte sich schon wesentlich besser angefühlt.

Sabine saß auf dem Fahrersitz, den Blick starr auf das Haus gerichtet, in dem die mutmaßliche Bankräuberin und ihre Komplizen verschwunden waren. Der Aktenkoffer lag auf ihrem Schoß, die Hände untätig darauf. Hin und wieder zuckten ihre Finger, als ob sie mit dem Schloss klacken wollte, aber die anderen beiden nicht stören mochte.

»Wie spät ist es?« Margot flüsterte, um Laura nicht zu stören. »Warum hast du mich nicht geweckt?« Sie hatten doch ausgemacht, sich beim Observieren abzuwechseln.

Sabine zuckte mit den Schultern. »Du musstest die ganze Zeit am Steuer sitzen.«

Jetzt hatten sie Laura doch geweckt. Sie bewegte sich, gab einen Laut von sich, der mit »Uäähh« am besten zu beschreiben war, und streckte die Arme über den Kopf.

»Hab ich was verpasst?«

Sabine schüttelte den Kopf. »Sie sind noch drin. Niemand ist heraus, niemand hinein.«

»Frühstückszeit.«

Margot sehnte sich so sehr nach einem Kaffee, dass sie ihn schon fast riechen konnte. Aber sie beherrschte sich, sie mussten vorher noch zur Polizei. Erst die Arbeit, dann das Vergnügen, das hatte Eddie immer gesagt, und auch wenn sie den Spruch dumm fand – wieso sollte man sich nicht vor der schrecklichen Arbeit noch mit etwas Schönem trösten? –, passte er nun zu ihrer Ausnahmesituation.

»Ich muss«, jammerte Laura und stieg aus.

»Du warst doch erst vor …«, Sabine sah auf ihre Uhr, »… fünf Stunden.«

Margot sah Lauras Gesicht und griff schnell ein. »Auf dem Präsidium gibt es sicher eine Toilette.«

Laura verzog den Mund. »Na, dann auf in den

Kampf.« Sie setzte sich wieder ins Auto und fuhr ihre Sitzlehne hoch.

»Hoffentlich ist das Polizeirevier ausgeschildert«, sagte Margot.

»Wenn nicht, baust du einfach einen Unfall.« Laura grinste. »Wetten, dass dann wer kommt?«

Margot überging ihren Vorschlag hoheitsvoll. Glücklicherweise hatte Sabine einen weit brauchbareren Plan parat. Sie kurbelte das Fenster herunter und fragte eine Passantin nach dem Weg.

»Wenn wir dich nicht hätten«, murmelte Margot.

»Am besten, du sprichst auch mit der Polizei«, beschloss Laura.

Das war ein fantastischer Vorschlag.

Sie folgten der Richtung, die ihnen die Spaziergängerin angegeben hatte, und fanden das Präsidium schnell.

»Das hätten wir auch zu Fuß schaffen können«, bemerkte Margot, als sie das Auto abschloss. Sie waren höchstens einen Kilometer gefahren.

Außer ihnen wollte augenscheinlich niemand etwas von den Carabinieri. Sie waren die einzigen Menschen auf der Polizeistation außer einem jungen Beamten mit Schnurrbart, der gelangweilt mit einem Kugelschreiber spielte.

Sabine strich sich eine Haarsträhne aus der Stirn, setzte ein verkrampftes Lächeln auf und trat auf den Polizisten zu. Ihre Finger umschlossen den Griff ihres Aktenkoffers so fest, dass die Knöchel weiß hervortraten.

Margot fragte sich, wie oft Sabine im Laufe ihrer Ehe mit der Polizei gesprochen hatte.

»*Prego?*«, sagte der Beamte.

»Das heißt bitte«, erklärte Margot.

»Und die italienische Gendarmerie nennt man Carabinieri. Hab ich mir gemerkt«, flüsterte Laura.

Den Schwall Italienisch, den Sabine daraufhin von sich gab, konnte Margot nicht mehr verstehen. Sie zuckte mit den Schultern, als Laura sie fragend ansah.

»Ich habe ihm erklärt, dass wir einen Überfall und eine Geiselnahme beobachtet haben«, übersetzte Sabine schließlich.

Margot nickte. Das stimmte so.

»Warum guckt er dann so komisch?«, zischte Laura.

»Er überlegt sicher, wie er jetzt vorgehen muss«, sagte Margot. »Soll er nur seinen Chef oder gleich das Sondereinsatzkommando rufen?«

»Hör auf!« Laura schien Margots Galgenhumor nicht zu gefallen.

Margot musste jedoch zugeben, dass ihr die Situation selbst unheimlich genug war.

Der Polizeibeamte kratzte sich am Kopf, griff zum Telefonhörer und rief einem Kollegen, der wohl im Nebenraum saß, etwas zu. Er war also doch nicht allein.

Nach einem lauten *si* und zwei gemurmelten *no* wendete er sich wieder Sabine zu.

»Passaporto«, sagte er und streckte fordernd die rechte Hand aus.

Sabine blickte fragend zu Margot und Laura. Erschrocken wich Margot einen Schritt zurück.

»Das heißt doch Pass, oder nicht?«, sagte Laura.

Sabine nickte.

Margot senkte ihre Stimme. »Meinst du, er hat uns erkannt?«

»Immerhin war es der Polizeipräsident, den du da in den Brunnen geschubst hast«, gab Laura zu bedenken.

Wieder redete Sabine so schnell auf den Polizisten ein, dass Margot nichts mehr mitbekam, obwohl sie sich sehr anstrengte. Zu gern hätte sie das auch gekonnt!

»Vielleicht sollten wir gehen«, schlug Laura vor. »Ich bin dafür, dass wir gehen.«

Margot schüttelte den Kopf, um ihr zu bedeuten, für einen Augenblick still zu sein, sie musste sich konzentrieren.

Jetzt rief der Polizist einen weiteren Kollegen zu sich. Das wurde anscheinend auch Sabine zu viel, sie fuhr blitzschnell herum.

»Abhauen«, zischte sie.

Die drei Frauen stürzten aus dem Gebäude. Sie waren ein eingespieltes Team: Margot sprang hinters Steuer, Laura auf den Beifahrersitz, Sabine nach hinten. Sie brauchten keine fünf Sekunden, bis sie alle saßen und der Motor gestartet war.

»Wohin?«, rief Margot, ihr Puls raste.

»Zurück zu den Entführern«, sagte Sabine.

»Was? Nein!«, schrie Laura. »Toilette!«

Margot seufzte und gab Gas, wichtig war erst einmal, etwas Raum zwischen sie und das Polizeipräsidium zu bringen. Sie blickte in den Rückspiegel, konnte aber niemanden sehen. Auch Sirenen waren nicht zu hören.

»Ich glaube, sie verfolgen uns nicht.« Laura hing gefährlich weit aus dem Fenster.

»Die haben Wichtigeres zu tun, als drei komischen Frauen hinterherzulaufen.« Sabine zuckte mit den Schultern. Wie schnell sie sich wieder gefasst hatte! »Vermutlich wissen sie noch gar nicht, dass ihr gesucht werdet«, sagte sie.

Das könnte stimmen, dachte Margot und wünschte sich, dass es tatsächlich so war. Dann bestand Hoffnung, dass nicht alles noch schlimmer werden würde.

Laura zappelte so fürchterlich auf dem Beifahrersitz herum, dass Margot vor der nächsten Bar eine Vollbremsung hinlegte. Laura war jedoch noch schneller und schon hinausgesprungen, bevor das Auto stillstand.

Margot schloss den Wagen nicht ab, wer wusste schon, ob sie nicht noch einmal flüchten mussten.

Sie hatten sowieso nichts Wertvolles dabei, und Sabine legte ihren Aktenkoffer nie mehr aus der Hand.

Schließlich standen sie zu dritt vor der Auslage, und Margot hätte am liebsten alles bestellt. Ihre letzte Mahlzeit war schon viel zu lange her. Als sie an der Kasse einige Süßigkeiten sah, kaufte sie zu ihrem Hörnchen und dem Cappuccino noch ein paar Schokoriegel. Wenn das so weiterging mit ihrem Essverhalten, konnte sie ihrer Verdauung bald gute Nacht sagen. Im Altersheim gab es immerhin geregelte Mahlzeiten … Sie seufzte.

»Wir haben Zeit, uns kurz hinzusetzen«, erklärte Sabine, als Laura zu ihnen stieß.

»Mmmmmhh, Schokobrötchen«, sagte Laura.

Bis sie ebenfalls etwas zu essen und einen Kakao bezahlt hatte, klatschte Sabine in die Hände. Ihre Pause war offenbar wieder vorbei. Wann war Sabine eigentlich zur Chefin ihrer kleinen Gruppe aufgestiegen? Und warum? Nur weil sie furchtlos war? Margot war die Älteste. Da wäre es doch richtig, wenn sie die Anführerin war. Sie konnte auch furchtlos sein. Sie musste nur ein bisschen üben.

»Ich muss doch noch mein Brötchen essen!«, protestierte Laura, als Sabine sie aus der Bar hinausscheuchen wollte.

»Das kannst du im Auto tun.«

»Hey!«, rief Margot. »Das ist mein Auto! Keine Krümel in meinem Auto.«

Laura grinste. »Weil dein Auto so besonders neu und teuer ist?«

Margot wollte ihr kleines altes Auto verteidigen, schließlich fuhr es sie gerade treu durch Italien. Ein schrilles Klingeln unterbrach sie jedoch.

Laura stupste sie an. »Das ist dein Handy.«

Jetzt spürte Margot auch das Vibrieren in ihrer Handtasche. Seufzend holte sie ihr Telefon heraus und sah aufs Display.

»Daniel.«

»Der schon wieder«, mischte Sabine sich ein.

»Geh doch einfach nicht ran.« Laura klang so selbstverständlich dabei.

»Nun seid doch mal still!«, sagte Margot.

Sie hatte alles im Griff. Sie zögerte einen Augenblick, dann nahm sie das Gespräch an.

»Daniel! Es tut mir furchtbar leid, aber ich habe gerade überhaupt keine Zeit.«

Laura zog eine Grimasse und wies sie pantomimisch an aufzulegen.

Sabine flüsterte: »Sag ihm die Meinung!«

Margot drehte sich um. Was mischten die beiden sich ein? Erst ihr Auto schlechtmachen, jetzt ihr Verhalten gegenüber Daniel kritisieren.

»Ich ruf dich zurück, ja?«, sagte sie zu ihrem Sohn.

»Ich möchte wirklich wissen, was du so Besonderes machst, dass du nicht einmal Zeit für deinen einzigen Sohn hast«, dröhnte es aus dem Hörer. »Ich vergehe hier vor Angst, und du hast es nicht nötig, mir auch nur eine Minute deiner Zeit zu widmen!«

Margot zuckte zusammen. Sie wollte gerade zu einer Entschuldigung anheben, da brüllte Daniel: »Ich melde mich morgen noch einmal. Dann hast du deine Prioritäten hoffentlich geklärt!«

Es machte Klick, und in der Leitung war es still.

»Wieso gehst du überhaupt noch ans Telefon, wenn dein Sohn anruft?« Laura hatte den Kopf schräg gelegt und kniff die Augen zusammen.

»Sag ihm doch einfach deine Meinung. Du bist seine Mutter!«, sagte Sabine. »Wenn hier jemand Angst haben muss, dann er vor dir!«

Laura nickte nachdrücklich.

»Das nächste Mal.« Margot sah auf die vielen Knöpfe des kleinen Telefons. »Morgen.«

»Ausreden.« Lauras Stimme klang scharf.

Sabine verdrehte die Augen und seufzte vernehmlich.

Margot blickte auf. »Er macht sich Sorgen.«

»Ach, Sorgen? Deshalb schreit er dich an? Wieso traut er sich das überhaupt? Ich würde mit meinen Eltern nie so reden!« Laura ließ nicht locker.

»Nein, du redest mit deinen Eltern lieber gar nicht, sondern läufst weg.« Irritiert fuhr Margot sich mit der Hand durch die Locken. Weshalb stritt sie sich mit Laura über Daniel? »Ich habe ihm doch gesagt, ich habe keine Zeit«, verteidigte sie sich schließlich.

Sabine schnaubte.

»Du brauchst nicht auch noch dazwischenzufunken«, fuhr Margot ihr über den Mund, bevor sie etwas sagen konnte. »Ihr wisst nicht, wie das ist! Ich bin über siebzig, mein Mann ist tot, und vor ein paar Tagen war ich wegen eines Schwächeanfalls im Krankenhaus!« Sie blickte ungehalten von Sabine zu Laura. »Ihr seid jung, ihr habt noch euer Leben vor euch. Ihr könnt es euch leisten, euch mit der Welt zu zerstreiten. Aber ich … Ich bin auf meinen Sohn angewiesen. Was, wenn ich mir nächste Woche den Oberschenkelhals breche? Was, wenn ich allein im Altersheim sitze, ohne jemals Besuch zu bekommen? Ja, Altersheim, das klingt witzig für euch, nicht? Haha, diese komische Einrichtung für uralte Leute. Wisst ihr, was? Ich gehöre zu diesen Leuten. Altersheim ist das nächste große Abenteuer, das mich in meinem Leben erwartet.« Margot hatte sich in Rage geredet. Sie zeigte auf Lauras Bauch. »Kein Kind, kein Job, keine große Liebe mehr. Das liegt alles hinter mir. Also erzählt ihr mir nicht, wie ich mich zu verhalten habe!« Schwer atmend ließ sie sich in den Sitz zurücksinken, ihr Kopf war vermutlich hochrot.

Schweigen herrschte im Wagen, und Margot biss sich auf die Unterlippe. Ein Streit war jetzt gerade wirklich nicht das, was sie brauchen konnte. Sie mussten zusammenhalten. Aber die beiden Jüngeren konnten auch unglaublich anstrengend sein! Was mischten sie sich in ihre Angelegenheiten ein? Margot räusperte sich. Was sollte sie tun?

»Na, siehst du, du kannst es doch«, meldete Sabine sich trocken. »Das ist die Leidenschaft, mit der du Daniel die Leviten lesen musst.« Sie grinste.

Margot atmete erleichtert auf. »Morgen«, sagte sie. Sie würde Daniel mit Furchtlosigkeit begegnen.

42

Laura langweilte sich. Sie langweilte sich schrecklich. Sicher waren sie schon seit Stunden wieder im Auto und observierten. Sabine saß vorn und beobachtete das Haus, Margot auf dem Rücksitz versuchte sich größer zu machen, als sie war, und das Schlimmste: Sie redeten nicht.

Eigentlich müsste es längst Zeit fürs Mittagessen sein.

Sie stöhnte. »Im Fernsehen müssen die nie so lange warten. Und meist gibt es eine Currywurstbude keine zehn Meter vom Auto entfernt.«

»Currywurst?« Margot drehte sich um.

»Hast du etwa schon wieder Hunger?«, fragte Sabine, ohne den Blick vom Haus abzuwenden.

Laura zuckte mit den Schultern. Hieß es nicht immer, Schwangere müssten für zwei essen?

»Bis zum Mittagessen dauert es noch«, kommentierte Margot. »Wer weiß, ob die drei überhaupt schon wach sind. Es ist schließlich erst halb zehn.«

»Was?«

Laura sah auf ihre Uhr. Tatsächlich. Ihre Observierung dauerte erst eine halbe Stunde? Wie sollte sie den Rest des Tages überstehen? Ihr Hintern war schon eingeschlafen.

»Vielleicht können wir uns abwechseln.« Margot zog ihren Reiseführer aus der Handtasche und blätterte darin. »Irgendeine Sehenswürdigkeit muss es hier doch geben.«

»Wie kannst du jetzt an deine Tomaten denken?« Das ging sogar Laura zu weit. »Nein, nein, das ist im Fernsehen auch immer das Problem. Sobald man sich einmal umdreht, entkommen die Observierten.«

Mit einem Ruck setzte Sabine sich auf. »Sie kommen!« Dann versteckte sie sich schnell hinter dem Lenkrad.

Laura duckte sich in ihren Sitz. »Sie haben die Schildkröte dabei. Es geht los.«

Na also, zumindest gab es jetzt ein bisschen Abwechslung! Sie warteten, bis der Wagen der Räuber um die Ecke gebogen war, dann tauschten Sabine und Margot schnell die Plätze.

»Ich bin älter, ich habe mehr Fahrpraxis. Und es ist *mein* Auto«, hatte Margot auf Sabines Angebot zu fahren erwidert.

Als sie auf eine Landstraße einbogen, nahm Lauras Aufregung wieder ab. Sie zuckelten auf der schnurgeraden Straße dahin, rechts und links waren trockene Felder, hin und wieder sah man ein paar Bäume. Das war ja wirklich nur kurz interessant gewesen. Sie ließ sich in ihren Sitz sinken und stellte sich auf eine weitere Runde Langeweile ein.

»Wie wär's mit Krimirätseln?«, fragte sie schließlich. Sie brauchte wenigstens ein Minimum an Abwechslung, das war doch furchtbar. »Ich sage: Ein toter Mann liegt nackt mit einem Streichholz in der Hand auf einer Wiese. Und ihr müsst raten, was passiert ist.«

Margot blickte ängstlich nach vorn. »Meint ihr, sie …« Sie beendete ihren Satz nicht.

»Ich sehe was, was du nicht siehst«, mischte sich Sabine ein, »und das ist rot.«

»O Gott.« Laura stöhnte. »Wie alt seid ihr? Das ist doch für Kleinkinder!«

»Ich sehe was, was du nicht siehst, und das zieht einen Flunsch. Beziehungsweise, die«, lachte Margot.

Laura zog die Augenbrauen zusammen. »Ich habe keine Ahnung, was ein Flunsch sein soll, aber ich nehme mal an, du meinst mich. Ich habe keinen Flunsch. Und daran ziehen tue ich schon mal gar nicht«, sagte sie würdevoll und rückte ihr T-Shirt zurecht. Puh, das trug sie jetzt den dritten Tag, es stank wie die Hölle. Für die nächste halbe Stunde verfluchte Laura ihr Schicksal, das sie nicht nur schwanger und ohne Freund, sondern auch noch mit ungewaschener Kleidung zurückließ. »Wirklich, so langsam wird das mit dem Nichtwaschen eklig.«

»Heute Abend halten wir nur dort, wo es ein richtiges Badezimmer gibt«, versprach Margot. »Und apropos Badezimmer: Ich müsste bald mal auf die Toilette.«

Sabine stöhnte.

»Aber sieh mal, Sabine«, versuchte es Laura. »Es geht nur geradeaus. Wir können sie gar nicht verlieren.«

»Ich beeil mich auch.« Margot sah bittend in den Rückspiegel.

Sabine nickte.

Sie fanden eine Tankstelle mit angegliederter Bar. Margot nutzte die Gelegenheit und tankte, Laura kaufte sich einen Schokoriegel. Die vom Morgen hatte sie mittlerweile schon aufgegessen. Schließlich begleitete Sabine Margot zur Toilette, die den Gesten des Tankstellenbesitzers nach etwas schwieriger zu finden war.

Laura blieb allein beim Auto und beschäftigte sich damit, die Windschutzscheibe von Mückenleichen zu befreien. Das Auto hatte eine Menge Kilometer hinter sich, dementsprechend viele Insekten klebten daran. Dass Margot überhaupt noch etwas hatte sehen können.

In der Ferne tauchte ein Roller auf. Laura konnte den aufwirbelnden Staub sehen. Eine Autowäsche hätte Margots Wagen ebenfalls gutgetan. Der Rollerfahrer knatterte an der Tankstelle vorbei. Einige Meter weiter bremste er abrupt ab und wendete. Oha.

Das konnte nichts Gutes bedeuten. Laura sah auf ihre Uhr. Margot und Sabine waren seit fünf Minuten verschwunden. Wo blieben sie nur?

Der Rollerfahrer fuhr auf die Zapfsäulen zu und umrundete dann Laura. Sie wurde nervös. Polizei? Noch ein Privatdetektiv? Oder schlimmer: War es etwa einer der Komplizen vom Tankstellenüberfall? Ihr wurde schlecht.

Der Rollerfahrer hielt direkt vor ihr und nahm seinen Helm ab.

Laura schrie auf. »Matthias? Was machst du denn hier?« Ihre Tasche fiel ihr aus der Hand.

Matthias strahlte.

Laura blieb der Mund offen stehen. Die Liebe ihres Lebens war über tausend Kilometer mit dem Roller gefahren, um sie zu sehen. Sina hatte recht gehabt, der Plan funktionierte. Und jetzt? Laura blinzelte. So weit hatte sie nicht gedacht.

»Ich hab mir Sorgen gemacht.« Matthias sah sie an. »Aber du siehst gut aus.« Er klang überrascht.

»Mir geht es auch gut.«

Verstohlen fuhr sie sich über den Bauch. Sie blickte erneut auf die Uhr. Wie lange brauchten Margot und Sabine denn auf der Toilette? Sie mussten weiter, der arme Thomas Hinterhofer!

»Meine kleine Laura«, sagte Matthias sanft und umfasste ihr Gesicht mit beiden Händen.

Sein Mund näherte sich ihrem, und davon hatte

Laura geträumt. Oder nicht? Schmetterlinge flatterten in ihrem Bauch, ihre Handflächen begannen zu schwitzen, und Matthias …

»Laura!«

Mit schnellen Schritten kamen Margot und Sabine auf sie zugehastet. Schnell stellte Laura sich schützend vor Matthias. Aus den Augenwinkeln konnte sie gerade noch sehen, wie Margot Sabine am Arm festhielt.

»Nicht!«, rief Laura vorsichtshalber. Sie wusste nicht, ob Margot stark genug war. »Das ist Matthias.«

»Der?«

Sabines Gesichtszüge entspannten sich. Sie öffnete die zur Faust geballte Hand.

Margot trippelte herbei und streckte Matthias die Hand hin. Der schaute verwirrt von einer Frau zur anderen. Laura sah ihm an, dass er keine Ahnung hatte, wie knapp er einer gebrochenen Nase entkommen war.

»Du bist Matthias?« Margot strahlte. »Sehr erfreut.«

»Sie kennen mich?«, fragte Matthias.

»Und wegen dem Milchbubi machst du so ein Theater?« Sabine runzelte die Stirn.

Margot stieß ihr die Handtasche in die Rippen. »Laura hat so viel von dir erzählt. Du bist der Vater. Du musst während ihres Studiums auf euer Kind aufpassen.«

»Margot!« Entsetzt schaute Laura auf.

»Ich muss was?« Matthias' Stimme kiekste.

»Brauchst gar nicht erst daran zu denken, dich aus der Verantwortung zu stehlen.« Sabine machte ein nachdrückliches Gesicht.

Laura musste eingreifen. »Schlag ihn bloß nicht!«

»Wen?« Jetzt wirkte Matthias fast ein wenig ängstlich.

»Er ist doch noch ein Kind«, brummte Sabine. »Als ob ich Kinder schlagen würde.«

»Hallo, du organisierst mit einem ›Kind‹ eine Verfolgungsjagd.« Laura verschränkte die Arme vor der Brust. Nahm Sabine sie nicht für voll?

»Ver… Verfolgungsjagd?«, stammelte Matthias. »K… Kind?«

Margot legte ihm eine Hand auf die Schulter. »Laura hat so gehofft, dass du ihre Nachrichten verstehst.«

Du liebe Zeit, hörte Margot denn gar nicht mehr auf mit ihrer Plauderei?

»Oh, Laura, du bist kein Kind mehr! Du verhältst dich erwachsen.« Sabine öffnete den Mund, schloss ihn wieder und wandte sich dann erneut an Matthias. »Ein bisschen Drohen sollte doch wohl noch in Ordnung gehen.«

»Gewalt ist keine Lösung«, sagte Margot und schwang ihre Handtasche.

Matthias trat einen Schritt zurück und sah die

Frauen misstrauisch an. »Wer ist das? Mit wem bist du da unterwegs?«, flüsterte er Laura zu. Er wirkte ein bisschen blass um die Nase.

»Das sind Margot und Sabine.«

Laura konnte Matthias seine Verwirrung ansehen.

»Was ist jetzt? Kommst du mit?«, fragte er. Seine Stimme zitterte.

»Nach Hause?« Laura blickte auf.

»Wohin denn sonst? In der Schule reden schon alle«, sagte Matthias.

»Ja, ja, Selbstmordgedanken, ich weiß. Mach dir keinen Kopf. Mir passiert nichts.«

Außer natürlich, ich werde von der Polizei auf der Flucht erschossen oder von rachsüchtigen Entführern mit Betonfüßen im Meer ertränkt, dachte Laura. Aber das musste sie Matthias ja nicht auf die Nase binden.

»Laura … meine kleine Laura.« Er nahm ihre Hand. »Ich hab sehr viel nachgedacht«, fuhr er fort. »Du und ich. Unsere Beziehung. Unsere Liebe.«

Laura sah sich um. Sabine und Margot grinsten. Wie peinlich war das denn! Dann fiel ihr Thomas Hinterhofer ein. Wenn sie sich nicht beeilten, würden sie die Spur verlieren. Und die drei Täter würden weiß Gott was mit der Schildkröte anstellen!

»Ich denke, wir zwei waren gut zusammen.« Matthias lächelte. »Richtig gut«, betonte er.

Sabine kicherte, und Laura hörte, wie Margots

Handtasche dumpf aufklatschte, sie musste Sabine einen Schlag versetzt haben.

»Wenn du meinst …« Zweifelnd blickte Laura auf den Roller.

»Ich meine das nicht, ich weiß es.« Jetzt grinste Matthias breit. Er klopfte auf den Sitz hinter sich. »Nun steig schon auf.«

»Was?«

»Wir fahren nach Hause.«

Laura öffnete den Mund. Schloss ihn wieder. Sie hörte, wie Margot keuchend die Luft ausstieß. Laura schüttelte langsam den Kopf.

»Wie hast du mich überhaupt gefunden?«

»War nicht so schwer.«

Matthias kramte in der Seitentasche seines Rollers und holte eine Zeitung heraus. Er strich die Seite glatt, sodass das Titelbild gut zu erkennen war. Margot war ganz vorn abgelichtet, dahinter stand Sabine, etwas seitlich starrte Laura den römischen Polizeipräsidenten im Trevi-Brunnen an. Die Überschrift lautete: *Sind diese Frauen Terroristinnen?*

»Ich bin einfach immer weiter in den Süden gefahren. Dass ich dich hier hab stehen sehen, war Zufall«, erklärte er.

Laura hatte nur Augen für das Bild. Ach du liebe Zeit, jetzt standen sie schon unter Terrorismusverdacht!

»Was für ein Schnappschuss. Kann ich das haben?«

Margot drängte sich vor und riss Matthias die Zeitung aus der Hand. »Vielleicht sollten wir das per Eilbrief an Daniel schicken!«

»Zeig mal!«, sagte Sabine, doch Laura knüllte schnell das Blatt zusammen. Die Situation wurde zu kompliziert.

»Du bist keine Terroristin, oder?«, fragte Matthias leise.

Laura stöhnte, als Margot und Sabine schallend lachten.

»Ist ja schon gut.« Matthias lächelte schief und sah von einer Frau zur anderen. »Ich dachte nur ... Nicht dass meine Freundin eine Kriminelle ist.«

»Deine Freundin?« Laura zog die Brauen zusammen. Wie unromantisch war das denn? »Du hast mich wegen der roten Rosa verlassen.« Das musste sie klarstellen, so einfach sollte er es sich auch nicht machen.

Matthias schaute sie zerknirscht an. »Ich hab's mir anders überlegt.«

Sabine schnalzte mit der Zunge.

Laura wechselte schnell das Thema. »Du bist die ganze Strecke mit dem Roller gefahren?« Sie strich über den Lenker. Das war doch romantisch, da konnten die beiden denken, was sie wollten.

»Er ist ein bisschen frisiert. Schafft 100km/h.«

Willkommen im Klub der Kriminellen, dachte Laura.

»Hat trotzdem eine Ewigkeit gedauert, bis ich hier war.« Er blickte sie unter seinen Stirnfransen her an. »Einmal musste ich in einer Pension übernachten. Und ich glaube«, er senkte die Stimme, »da hat jemand Marihuana geraucht.«

Sabine verschluckte sich fast vor Lachen, und Laura trat ihr auf den Fuß. Sie sah zu Margot.

Die nickte. »Er ist die Liebe deines Lebens.«

Matthias blickte auf. »Ich bin …«

»Sei mal still«, fuhr Sabine dazwischen.

Gehorsam senkte er den Kopf.

»Natürlich bist du das, die Liebe meines Lebens«, erklärte Laura. Sie wusste gar nicht, zu wem sie sprechen sollte. Müsste so ein Geständnis nicht unter vier Augen stattfinden? »Ich meine, klar liebe ich ihn«, sagte sie zu Margot, die aussah, als wäre sie in einem Rosamunde-Pilcher-Film.

Laura drehte sich zu Sabine um. »Ich will ihn zurück. Deshalb habe ich doch die ganze Reise gemacht. Und die Fotos. Das heißt, ich liebe ihn. Oder nicht?«

Sabine sagte nichts. Wahrscheinlich war sie nicht wirklich kompetent, was wahre Liebe anging.

»Ich liebe ihn, doch ja. Definitiv.«

Laura trat einen Schritt zurück und rieb sich den Nacken. Anschließend blickte sie zu Matthias, der verlegen lächelte. Sie sah die schnurgerade Straße entlang, die verlassen vor ihnen lag, hörte in der Ferne ein Motorenbrummen, und die Luft war so warm und roch so italienisch, und sie war so frei, und neben ihr standen Margot und Sabine, und plötzlich wusste sie, was sie tun musste.

»Matthias, im Moment … gibt es ein paar andere Dinge, die wichtiger sind. Wir müssen jemanden retten.« Sie sah Margot und Sabine an. »Ich kann euch jetzt doch nicht allein lassen!«

Margot legte den Kopf schräg. »Er kann uns helfen. Als Retter in der Not oder Ritter auf weißem Pferd.«

Matthias nickte eifrig. »Ich ….«

»Hör ihr doch mal zu«, unterbrach Sabine ihn wieder.

Laura zog die Nase kraus. »Was? Nein. Für unsere Mission brauchen wir ihn nicht.« Sie legte eine Hand auf ihren Bauch und sah zu Matthias. »Es ist mein Leben! Ich würde gern selbst entscheiden, wann ich nach Hause will. Ich bin für mich allein verantwortlich.«

»Ich …«, sagte Matthias, doch Sabine legte ihm eine Hand auf die Schulter. Sie drückte offenbar fest zu, denn Matthias zuckte zusammen. »Das hier verstehst du nicht.«

Dann hielt Sabine ihre Hände hoch. »Schlag ein.« Laura grinste. Sie und Sabine klatschten ihre Handflächen gegeneinander. Sie blickte zu Margot.

»Du auch«, sagte sie und klatschte auch Margot ab. »Auf meine Entscheidung.«

»Auf deine Entscheidung«, wiederholte Sabine.

»Auf unsere Entscheidung!« Margot lächelte.

Laura umarmte die beiden Frauen, gemeinsam liefen sie zum Auto.

»Laura?«, rief Matthias. »Laura!«

»Ich kann nicht. Noch nicht. Wir müssen zuerst eine Schildkröte retten.«

Matthias blinzelte. »Du lässt mich für ein Reptil stehen?«, rief er ungläubig.

»Für einen Privatdetektiv! Und es ist etwas komplizierter.« Sie winkte. »Mach dir keine Sorgen. In ein paar Tagen bin ich wieder zurück. Grüß Sina!«

Laura stieg ein und schlug die Wagentür zu. Sie blickte nicht zurück, als sie an Matthias und seinem Roller vorbeifuhren.

43

»Das war er also«, fing Margot das Gespräch an.

Sie saßen im Auto, Laura kaute auf den Fingernägeln, Sabine klackte mit den Schlössern ihres Aktenkoffers. Das gab ihr inzwischen ein beruhigendes Gefühl. Die Sonne wärmte ihr Gesicht, noch war es nicht so heiß, dass es unangenehm gewesen wäre.

»Das war Matthias«, bestätigte Laura.

»Und du hast ihn einfach so stehen lassen.«

Margot drückte das Gaspedal durch, sie mussten einige Meter wiedergutmachen. Ihr Toilettenbesuch hatte länger gedauert, als eingeplant gewesen war.

Laura sah aus dem Fenster. »Nicht einfach so. Es passte grad nicht.«

»Ihr jungen Leute …« Sie schüttelte lächelnd den Kopf. Laura war mutig. Mutiger, als sie selbst es gewesen war.

Laura räkelte sich. »Hast du dich gefreut, als du schwanger warst mit deinem Sohn?«, fragte sie Margot.

»Daniel war ein Wunschkind«, antwortete Margot wie selbstverständlich.

»Soll heißen?«

»Vielleicht … war es mehr Eddies Wunsch als meiner.« Margot nahm eine Hand vom Lenkrad und zupfte sich nachdenklich eine Haarsträhne zurecht. »Aber als Daniel da war, konnte ich mir nichts Schöneres vorstellen.«

»Und die Schwangerschaft?«

Margot wusste nicht, was sie sagen sollte. Wie sollte sie erklären, was sie gefühlt hatte damals? Und was sie nicht gefühlt hatte?

»Ich hatte Angst«, sagte sie schließlich. »Ich wollte letztendlich auch ein Kind, wir haben lange darüber gesprochen. Aber es hat mein Leben umgekrempelt.«

»Elternzeit.«

»Auch.« Margot seufzte.

»Es ist ein schönes Gefühl, bis dein Sohn dich ins Altersheim stecken will«, merkte Sabine an.

»Ha!« Margot schnaubte. Ihre Augen glitten kurz zu ihrer Handtasche, in der das Mobiltelefon steckte.

»Was ist mit dir?« Laura drehte sich zu Sabine um.

»Kinder? Ich? Du liebe Zeit!«

Das beantwortete ihr die Frage ausreichend.

Margot verscheuchte ihre Gedanken an früher und konzentrierte sich wieder auf die Straße und die flüchtigen Räuber. Sie passierten das Ortseingangsschild einer kleinen Stadt.

»Wartet mal, da vorne stehen sie!« Margot drosselte das Tempo, während Laura die Augen zusammenkniff, um besser sehen zu können.

»Ja, tatsächlich. Margot, halt an! Sie steigen aus«, rief Laura.

Abrupt hielt Margot am Straßenrand. Der Audi stand höchstens noch hundert Meter weit weg. »Ducken«, raunte Sabine vom Rücksitz, und Margot und Laura taten es ihr gleich.

»Da sind sie, gehen über die Straße«, berichtete Sabine, die zwischen Fahrersitz und Nackenlehne hindurch nach draußen spähte. »Sie gehen in ein Haus.«

»Alle?«

»Ja, sie schubsen die Schildkröte vor sich her.«

»Das heißt, sie wollen hier länger bleiben?«

»Es sieht so aus. Seltsam.«

»Was ist seltsam?«, wollte Margot wissen. Von ihrer Position aus konnte sie rein gar nichts sehen.

»Ihr könnt euch wieder richtig hinsetzen, sie sind verschwunden.«

Margot und Laura kamen wieder hoch.

»Da! Da vorne ist das Haus!« Sabine zeigte auf ein kleines Mehrfamilienhaus mit braunroter Fassade.

»Das ist ja ein Wohnhaus!«, rief Margot.

»Ich sag ja: seltsam.«

Ob die Entführer hier wohnten? Wollten sie wirklich mit einer Geisel eine längere Zwischenstation machen? Margot blickte zu Sabine, aber die sah genauso ratlos aus wie sie selbst.

Margot ließ sich zurück in den Sitz sinken. »Dann warten wir mal ab, was passiert.«

Sie mussten eine ganze Weile warten. Während Sabine das Haus beobachtete, vertrieb Margot sich die Zeit damit, Tomaten auf ihr Armaturenbrett zu malen. Zuerst eine große, dann zwei kleinere. Sie wollte nicht aus der Übung kommen, es warteten noch so viele Sehenswürdigkeiten.

»Ätna, so heißt der«, meldete sich Laura. Auf Margots fragenden Blick hin erläuterte sie: »Na, der Vulkan auf Sizilien ... Ist mir gerade wieder eingefallen.«

»Stimmt.«

Margot suchte in ihrer Handtasche nach einem Stift. Laura bekam große Augen, sie selbst lachte als Tomate, und Sabine malte sie buschige Augenbrauen. Perfekt.

»Du wirst immer besser«, lobte Laura. »Vielleicht kannst du am Vulkan eine Tomate in Lebensgröße malen. Da gibt es doch sicher keine Security. Was soll man da schon kaputt machen?«

»Touristen könnten auf die Idee kommen, lebensgroße Tomaten zu malen«, sagte Sabine. Plötzlich richtete sie sich weiter auf. »Achtung!«

Margots Blick fiel auf das Haus, in dem die Entführer verschwunden waren. Sie duckte sich so gut es ging, in der Hoffnung, dass die Kriminellen nicht zu genau auf andere parkende Autos achteten.

»Es sind alle drei, sie steigen ins Auto«, berichtete Sabine von ihrer Beobachtungsposition hinter dem Vordersitz.

Margot machte sich bereit, den Motor zu starten.

Sabine stieß leise einen Fluch aus. »Sie haben unseren Detektiv nicht dabei.«

Margot ließ ihre Hand wieder sinken. »Tatsächlich. Haben sie ihn etwa zurückgelassen?« Sie setzte sich wieder aufrecht hin, das Auto der Entführer fuhr gerade los.

»Das ist unsere Chance!« Laura hob vorsichtig den Kopf. »Wir holen die Schildkröte da raus! Bevor die wieder da sind, sind wir längst über alle Berge.«

Noch während Margot nachdachte, öffnete sie ihre Tür.

»Los, los! Wer weiß, wie viel Zeit uns bleibt.«

»Das ist ein Wohnhaus, Laura.« Glücklicherweise war Sabine auch nicht ganz so enthusiastisch. »Wie stellst du dir das vor? Wir klingeln und fragen nach der Geisel?«

Laura setzte sich wieder.

»Ich habe mal einen Film gesehen«, sagte Margot langsam, denn sie war sich noch nicht sicher, ob ihr die Konsequenzen gefielen, »da hat der Held sich als Postbote ausgegeben.«

Sabine nickte, und auch Laura war sofort Feuer und Flamme.

»Klar, das machen wir.« Sie stieg aus dem Auto, sah sich um und lief über die Straße.

Sabine folgte ihr, während Margot noch überlegte, ob sie das Auto abschließen sollte oder nicht. Im Hinblick auf die Stadt, in dem sie sich gerade aufhielten, entschied sie sich dagegen. Sie mussten Zeit sparen. Wer wusste schon, wann die Entführer wiederkamen?

»Wo soll ich denn klingeln?« Laura beugte sich zu den Namensschildern hinunter.

»Ist ein deutscher Name dabei?«, fragte Sabine. »Vielleicht gehört die Wohnung tatsächlich der Entführerin oder einem ihrer Komplizen?«

Margot sah zweifelnd zum Klingelschild. Fünf Parteien wohnten in dem Haus, alle hatten italienisch klingende Namen. »Und was machen wir jetzt?«

Laura zuckte mit den Schultern. »Überall klingeln.« Sie legte eine Hand auf alle Knöpfe gleichzeitig und grinste.

Der Türsummer ertönte, ohne dass jemand fragte, wer sie waren.

»Na, bitte.«

»Und jetzt?«, zischte Margot.

»Jetzt reden wir mit allen.« Sabine schien sich keines Problems bewusst zu sein.

»Du quatscht sie voll, ich linse in die Wohnung«, fiel Laura ein. »Vielleicht kann ich mich sogar reinschleichen, wenn du sie gut ablenkst.«

Margots Griff um ihre Handtasche wurde fester. Du liebe Zeit. »Hoffentlich wohnen hier nicht noch andere Kriminelle.«

In der ersten Tür stand eine Frau, die vom Alter her Margots Mutter hätte sein können.

»Da ist die Schildkröte ganz sicher nicht.« Margot schüttelte den Kopf, Sabine und Laura schienen ihrer Meinung zu sein.

Sabine lächelte und sagte etwas auf Italienisch, von dem Margot nur *scusi* verstand. Sabine hatte also doch Manieren, sie konnte sich auch einmal entschuldigen.

Die Wohnung im ersten Stock öffnete ein abgehetzt aussehender Mann mit Spuckwindel über der Schulter und Baby auf dem Arm. Um seine Beine wuselten zwei kleine Kinder.

»Können wir vergessen«, murmelte Laura und stieg schon voran in den zweiten Stock.

Dort wurde ihnen auch auf das zweite Klingeln hin nicht geöffnet. Sabine räusperte sich, klopfte dreimal laut und rief mit tiefer Stimme etwas.

»Wir sind von den Wasserwerken, um die Uhr abzulesen«, übersetzte sie.

Da! Margots Herz setzte aus. Da war etwas gewesen!

»Thomas Hinterhofer!« Laura presste ein Ohr an die Tür. »Ja, eindeutig.« Sie trat von der Tür zurück. »Ich hab so was wie mmmpf mmh mhh gehört! Er versucht, um Hilfe zu rufen.«

»Sie haben ihn geknebelt …« Sabines Miene verfinsterte sich.

»Was machen wir denn jetzt? Die Tür aufbrechen?« Laura legte den Kopf schräg.

Margot traute ihren Ohren kaum. »Warst du nicht diejenige, die nichts Illegales tun wollte?«

»Thomas ist in Gefahr!« Laura sah sie entrüstet an.

»Aber wie bricht man eine Tür auf?« Margot klopfte vorsichtig gegen das Holz. »Die scheint stabil zu sein.«

Sabine schüttelte den Kopf. »Das sieht nur so aus. In Wirklichkeit ist das ein Kinderspiel. Mehr als Spanplatten sind das nicht.« Sie holte Luft. »Zurück.«

Margot wich zum Treppenhaus hin aus. Sabine nahm etwa drei Schritte Anlauf, dann hob sie den Fuß und trat mit voller Wucht gegen die Tür. Es ruckelte, die Tür gab ein wenig nach.

»Allein schaffe ich es nicht«, schnaufte sie.

»Ich bin schwanger!« Laura hob entsetzt die Hände.

»Ich bin zu alt!«, rief Margot. Doch im selben Augenblick drückte sie Laura ihre Tasche in die Hände und drehte sich zu Sabine. »Auf drei.« So alt war sie schließlich doch nicht.

Sie rammte ihren Fuß gegen die Tür, spürte den Aufprall schmerzhaft, verlor für einen Augenblick das Gleichgewicht und wäre um ein Haar hingefallen, hätte Laura sie nicht aufgefangen. Aber die Tür hatte ein weiteres bisschen nachgegeben. Während Margot auf einem Bein herumhoppelte und Laura sie besorgt beobachtete, sprang Sabine ein drittes Mal gegen die Tür. Dieses Mal gaben Schloss und Rahmen nach, die Tür splitterte um das Schloss herum, und der Weg in die Wohnung war frei.

Schwer atmend strich sich Sabine eine Haarsträhne aus der Stirn. »Das hab ich auch schon länger nicht mehr gemacht.« Sie marschierte voran in die Wohnung.

Margot und Laura folgten ihr durch einen dunklen Flur den Geräuschen nach bis in ein altmodisch eingerichtetes Wohnzimmer.

Thomas die Schildkröte hockte auf einem Stuhl, die Entführer hatten seine Hände an den Körper gefesselt, die Füße an die Stuhlbeine und noch einen groben Strick um ihn und den Stuhl gebunden. Sein Mund war mit Klebeband verschlossen. Er kippelte nach vorn, und Sabine musste ihn auffangen, damit er nicht umfiel. Laura kniete sich hinter ihn und begann eilig, die Knoten zu öffnen.

»Dafür ist keine Zeit. Wir müssen uns beeilen.« Sabine sah sich um. »Gibt es hier irgendwo ein Messer?« Sie rannte in den Flur zurück, offenbar um eine Küche zu suchen.

Laura stand auf. »Hörst du das?« Sie wurde blass.

Margot konzentrierte sich, hörte aber nur Sabine, die ins Zimmer zurückgestürmt kam.

»Sie sind wieder da«, zischte sie. »Wir müssen weg.«

Margot griff sich ans Herz. Die Entführer? Vor dem Haus? Vielleicht sogar schon im Haus?

»Wie kommen wir hier raus?« Gut, dass Laura

noch klar denken konnte. »Im Treppenhaus laufen wir ihnen in die Arme.«

Sabine deutete auf den Balkon, von dem aus eine Feuerleiter nach unten führte. Sie zog Thomas Hinterhofer, der verzweifelt etwas zu sagen versuchte, samt seinem Stuhl hinter sich her.

Aus dem Treppenhaus waren Stimmen zu hören. Laura riss Margot am Ärmel.

»Los, raus hier!«, flüsterte Sabine und schubste Laura und Margot vor sich her auf den Balkon.

Um zur Feuerleiter zu gelangen, mussten sie über die Brüstung steigen. Margots Herz klopfte wie wild. Sie meinte, aufgeregtes Rufen zu hören. Der Warnschuss beim Überfall auf die Tankstelle klingelte immer noch in ihren Ohren. Und Laura war noch so jung! Dieser Gedanke setzte sie in Bewegung.

»Runter!« Sie zerrte an Lauras Armen, schubste sie vor sich her die Feuertreppe hinunter.

»Warte! Wir müssen Sabine und Thomas helfen!«

Margot schüttelte den Kopf, ließ Laura dabei nicht los. Sie nützten dem Privatdetektiv auch nichts mehr, wenn sie tot waren.

Sie waren noch nicht unten, da schrie jemand von oben. Erschrocken hob Margot den Kopf. Thomas' Stuhl war umgefallen, der Arme versuchte aus der Gefahrenzone zu robben, in der Sabine sich gerade ein Gerangel mit einem der Entführer lieferte. Er rief etwas ins Innere der Wohnung, woraufhin sein

Kumpan ebenfalls auf den Balkon stürmte. Der hielt eine Pistole in der Hand. Laura begann zu kreischen. Sie klammerte sich an Margots Arm. Margot selbst brachte keinen Laut heraus, sie konnte nicht einmal atmen.

Sabine nutzte die Schrecksekunde, um ihrem Gegner mit der Rechten einen Haken unters Kinn zu verpassen. Er taumelte zurück, seinem Kollegen in die Arme, und Sabine flankte über die Brüstung und stürmte die Treppe hinunter.

»Weiter!«, schrie sie von oben. »Weg hier!«

Wie sie ihre Beine bewegte, wusste Margot nicht, sie fühlte nur Gelee. Sie knickte um, wurde aber sofort von Laura untergefasst und weitergezogen.

»Verfolgen sie uns?«, keuchte sie.

Sabine schüttelte den Kopf. »Sie flüchten, die Feiglinge.«

Gemeinsam stürmten sie den Rest der Treppe hinunter, durch den Hof nach draußen.

»Hier lang!«

Sabine führte sie durch einen weiteren Hof unter einem Tor hindurch zur Straße. Gerade als sie zu Margots Auto hechteten, kamen die Entführer aus dem Haus gestürmt. Margot dankte allen Göttern, dass sie ihr Auto nicht abgeschlossen hatte, und riss die Fahrertür auf. Sie knallte die Tür zu, duckte sich, um kein Ziel abzugeben und startete den Motor. Dann trat sie das Gaspedal durch und fuhr mit

quietschenden Reifen los. Laura hatte die Beifahrertür nicht richtig geschlossen, weshalb sie in der ersten Kurve weit aufflog. Rasch zog sie sie zu. Sabine
hatte sich auf den Rücksitz geworfen, ihr Aktenkoffer fiel auf den Boden.

Margots Herz klopfte schneller als das eines Hams-
ters, aber sie konnte sich ein Grinsen nicht verkneifen, als sie im Zickzack durch die kleine Stadt fuhr.

»Ich glaub, ich hab sie abgehängt.« Niemand verfolgte sie.

Margot konnte sehen, dass Lauras Hände zitter-
ten. Nur Sabine hatte mal wieder alles im Griff. Sie
rückte sich den Ausschnitt ihres Kleides zurecht, legte den Aktenkoffer neben sich und sah Margot erwar-
tungsvoll an.

»Worauf wartest du?«

Margot blinzelte. »Was meinst du?«

»Wir müssen ihre Spur wiederfinden. Ihr Versteck
ist aufgeflogen, sie konnten uns nicht verfolgen, jetzt
sind sie ganz bestimmt weitergeflüchtet. Und wir
müssen herausfinden, wohin. Was wird sonst aus unserer Schildkröte?«

44

Im Endeffekt spielten sie Schere-Stein-Papier. Sabine wollte der Straße weiter nach Süden folgen, Laura dachte daran, dass die Entführer sie in die Irre führen könnten, weshalb sie sich für Norden entschied. Margot wollte die Polizei rufen.

Nachdem Sabine erst gegen Laura gewonnen hatte, siegte sie auch noch über Margot.

»Wettschulden sind Ehrenschulden«, sagte Margot und ließ den Motor an. »Aber vielleicht könnten wir einen Kompromiss finden und die Polizei trotzdem informieren?« Sabine öffnete den Mund, doch Margot unterbrach sie. »Anonym selbstverständlich«, sagte sie. »Ich habe ein Handy, das mein Sohn mir in die Handtasche geschmuggelt hat. Nur, falls die Polizei solche Anrufe tatsächlich zurückverfolgt.«

»Ha, dann kriegt er den Besuch von der Polizei!« Laura grinste. »Falls die wissen wollen, wieso jemand Insiderkenntnisse einer Entführung hat.«

Auf der Landstraße war kein anderes Auto, nicht einmal ein Trecker. Laura beruhigte sich damit, dass die Kriminellen Vorsprung hatten. Margot fuhr hart am Tempolimit, nahm sogar die Kurven mit achtzig. Sie würden die Typen, die sich Thomas Hinterhofer wieder geschnappt hatten, in null Komma nichts eingeholt haben.

Margot gab Sabine ihre Handtasche nach hinten, die das Handy heraussuchte. Es dauerte einen Augenblick, bis sie herausgefunden hatte, wie es funktionierte.

»Menschen über zwanzig ...«, seufzte Laura. »Einfach kein technisches Know-how.«

Während Sabine telefonierte, lehnte sie sich zurück, gähnte herzhaft und schloss die Augen. Die letzten Tage waren anstrengend gewesen, besonders für eine Schwangere. Apropos. Das musste sie auch noch entscheiden. Sie setzte sich wieder aufrecht hin.

»Komisch. Ich hab gar keine Angst mehr.«

Margot zog die Augenbrauen hoch.

»Na, wegen der Schwangerschaft und so.«

Sie lauschte einen Augenblick Sabines hektischen Worten. Mit der Polizei zu telefonieren war wohl nicht besser, als auf dem Präsidium mit ihnen reden zu wollen.

»Hast du dich entschieden?« Margot warf ihr einen schnellen Blick zu.

»Noch nicht. Ich denke, ich rede erst mal mit meinen Eltern.« Sie lächelte. »Meine Mutter hat das irgendwann ja auch mal mitgemacht. Nicht ganz so wie ich«, fügte sie nach einer Pause hinzu. »Sie hatten mich geplant.«

Margot nickte.

»Ich glaube nicht, dass ich richtig Mutter werden will. So mit allem Drum und Dran.« Laura dachte einen Augenblick nach. »Da wäre Urlaub in Italien nicht mehr drin.«

»Du hast schon länger keine Fotos mehr gemacht«, sagte Margot.

»Soll ich eins von deinem Bauch machen? So hinter dem Lenkrad?«

»Lieber nicht.«

»Vielleicht drucke ich sie zu Hause aus, die ganze Kollektion. Die Bäuche helfen mir dann bei der Entscheidung.« Laura grinste. »Bei meiner Entscheidung. Ich bin fast erwachsen, weißt du?«

»Schwanger sein ist ziemlich erwachsen«, mischte sich Sabine von hinten ein. Sie reichte Margots Handtasche nach vorn. »Die Polizei hat versprochen, sich ›drum zu kümmern‹.« Laura konnte die Anführungszeichen praktisch hören. »Ich sag euch, wenn man nicht alles selbst macht!«

Laura drehte sich zu ihr um. »Du meinst, die unternehmen nichts? Dann werden wir also doch noch gebraucht?« Sie konnte die Freude darüber nicht ganz aus ihrer Stimme heraushalten.

»Der hat mich nicht einmal ernst genommen.« Sabine verschränkte die Arme vor der Brust. »Wenn die überhaupt was tun, dann per Zufall. Du hast ganz recht, Laura, wir nehmen die Verfolgung wieder auf.«

Margot stöhnte. »Können wir uns wenigstens eine kurze Pause gönnen?«

45

Der Espresso tat gut. Margot saß Laura und Sabine gegenüber in einem winzigen Bistro, das mehr Ähnlichkeit mit einem Kiosk hatte als mit einem Café. Laura hatte die bunte Markise entdeckt, als sie auf der Suche nach einer Erfrischungsmöglichkeit durch das Dorf gefahren waren.

»Wir sollten weiter. Die Entführerin und ihre Komplizen haben ohnehin schon viel zu viel Vorsprung.« Sabine sah auf ihre Uhr.

Margot nickte und griff nach ihrer Handtasche.

»Geht schon mal zum Auto, ich bin sofort bei euch«, sagte Laura und verschwand auf der Toilette.

»Meinst du, wir finden sie wieder?«, fragte Margot, als sie mit Sabine im Auto saß.

»Brindisi.« Sabine schien sich sicher zu sein. »Wenn sie dort ein Schiff kriegen, sind sie erst einmal außerhalb der Reichweite der italienischen Polizei.«

»Ob sie unsere Schildkröte mitnehmen?«

»Wir lassen Thomas nicht im Stich.« Sabine presste ihre Lippen aufeinander. »Vielleicht lassen sie ihn auch einfach laufen oder … Wenn sie an Bord eines

Schiffes gehen, wozu brauchen sie ihn dann noch?«
Sie starrte angestrengt aus dem Fenster. Oh.

»Du glaubst, sie werden ihn umbringen?«, hauchte
Margot. Was für eine furchtbare Vorstellung!

Sabine zuckte mit den Schultern. »Ich weiß es
nicht. Es ist beides gefährlich, es ist beides möglich.«

Margot atmete tief durch. »Dann müssen wir ihn
retten, bevor sie an ihrem Ziel ankommen.« Sie startete den Wagen, als sie Laura kommen sah. »Los, einsteigen!«, rief sie dem Mädchen zu.

»O mein Gott.« Laura ließ sich in den Sitz fallen.
»Ihr werdet es nicht … O mein Gott!«

Margot drehte den Schlüssel wieder um, der Motor
erstarb. »Was ist los? Ist alles in Ordnung mit dir?«
Sie fühlte Lauras Stirn. Wenn sie es recht bedach-
te, entwickelte sie langsam großmütterliche Gefühle.

»Alles in Ordnung, ja.« Laura stieß den Atem aus.
»Außer …« Sie drehte sich zu Sabine um. »Hast du
vielleicht Tampons dabei?«

Einen Augenblick herrschte Stille. Dann riefen
Margot und Sabine gleichzeitig: »Was?«

»Offenbar …« Laura griff sich mit zittrigen Händen in die Haare. Sie grinste. »Falscher Alarm!«

»Ach du meine Güte!« Aus einem Impuls heraus
zog Margot sie zu sich heran und umarmte sie. »Himmel, Laura, was machst du nur!«

»Diese Tests sind auch nicht mehr das, was sie mal
waren«, hörte sie Sabine grummeln.

Laura zitterte, und Margot strich ihr beruhigend über den Rücken.

»Alles wird gut.« Sie musste grinsen. »Hatte ich das nicht von Anfang an gesagt? Was möchtest du jetzt tun? Deine Eltern anrufen?«

Laura löste sich aus der Umarmung und schüttelte den Kopf. »Wirklich, Margot«, sagte sie vorwurfsvoll. »Meinst du, die lassen mich noch die Schildkröte retten, wenn ich sie jetzt anrufe?«

Vielleicht wäre das nicht das Schlechteste, flüsterte eine Stimme in Margots Kopf. Was, wenn die Entführer wirklich so skrupellos waren, wie Sabine befürchtete? Was, wenn sie sich in Gefahr brachten? Sie selbst war alt, auf sie wartete nur noch das Altersheim. Aber Laura?

Margot fuhr sich mit der Zunge über die Lippen und wollte gerade antworten, als ein schwarzer Audi an ihnen vorbeirauschte.

»Gib Gas!«, schrie Laura.

Welche Überlegungen Margot auch immer hatte anstellen wollen, sie waren schon vergessen. Ihr Fuß fand wie von selbst den Weg zum Gaspedal. Das Auto machte einen Satz nach vorn, und ohne zu blinken oder auf den Gegenverkehr zu achten, bog sie ab, um die Verfolgung aufzunehmen. Dabei nahm sie einem dunklen Wagen die Vorfahrt, der mit quietschenden Reifen stehen blieb. Gehupe ertönte von mehreren Seiten, auf das Sabine mit dem ausgestreckten Mittelfinger vor der Heckscheibe reagierte.

»Ey! Wir haben einen Notfall.«

»Kein Grund, sich nicht wie eine Dame zu benehmen.« Margot fand die Geste doch ein wenig zu ordinär.

Laura lachte nur. Dann änderte sich ihre Miene plötzlich. »Ach du Schreck.«

Diese Worte hörte Margot inzwischen gar nicht mehr gern. Wenn »Ach du Schreck« in ihrem bisherigen Leben geheißen hatte, dass die Milch übergekocht oder die Zuckerdose leer war, bedeutete es inzwischen wesentlich Schlimmeres. Zumeist Illegales.

Laura musste jedoch nicht mehr erklären, was sie meinte. Margot konnte selbst im Rückspiegel verfolgen, wie das dunkle Auto, dem sie die Vorfahrt genommen hatte, die Verfolgung aufnahm. Eine Hand erschien aus dem Fenster des Beifahrers und stellte ein Blaulicht aufs Dach.

46

Das hatte ihnen gerade noch gefehlt! Thomas Hinterhofer mit den Verbrechern im Auto vor ihnen, die Polizei direkt hinter ihnen. Die Sirene dröhnte laut, der Polizeiwagen setzte den Blinker, um Margot zu zeigen, dass sie anhalten sollte.

»Ich muss rechts ranfahren.« Auf Margots Wangen hatten sich hektische rote Flecken gebildet.

»Bist du verrückt?« Laura setzte sich aufrecht hin. »Gerade jetzt, wo wir Thomas wiedergefunden haben!«

»Da sollen sich die Polizisten drum kümmern! Dann können sie ihr Blaulicht wenigstens sinnvoll nutzen, anstatt uns die Ohren vollzudröhnen.«

»Wir werden gesucht!«

»Wir erklären ihnen alles!«

»Sie werden uns nicht glauben!«

»Die Entführer erschießen Thomas!«

Margots schrillem Ausbruch folgte Schweigen. Sie war sichtlich aufgewühlt, Laura wagte kaum zu atmen. Solange Margot den Fuß auf dem Gaspedal ließ und keine Anstalten machte, den Blinker zu setzen, war alles in Ordnung.

»Wir müssen sie stoppen«, sagte Laura vorsichtig. »Und dafür dürfen wir uns nicht von der Polizei aufhalten lassen.«

In Margots Wange zuckte ein Muskel, Laura konnte nicht sagen, ob das ein gutes oder ein schlechtes Zeichen war.

Sabine beugte sich vor. »Keine Panik. Alzheimer. Das ist deine Freikarte für alles.«

Zuerst dachte Laura, das wäre es gewesen, das Wort Alzheimer würde Margot dazu bringen, auf die Bremse zu steigen. Doch dann entspannten sich ihre Gesichtszüge. Sie atmete einmal tief durch und blickte in den Rückspiegel.

»Zwei Jungspunde, höchstens dreißig. Was haben die schon an Fahrpraxis? Die häng ich locker ab.«

Margot gab Gas, und sie überschritten das Tempolimit deutlich.

»Geht doch nichts über eine Verfolgungsjagd! Das gehört einfach zu jedem Abenteuer dazu.« Laura grinste.

»Mir hat es besser gefallen, als wir die Verfolger waren, nicht die Gejagten«, murmelte Margot, aber ein Lächeln stahl sich auf ihr Gesicht.

Laura machte eine wegwerfende Handbewegung. »Man muss beide Seiten kennen, um objektiv urteilen zu können.«

Den Entführern vor ihnen fehlte es offenbar ebenfalls nicht an Fahrpraxis, mit überhöhter Geschwindigkeit brausten sie auf der Landstraße dahin. Ohne sich um den Gegenverkehr zu kümmern, überholten sie einen Trecker, der vor ihnen dahinzuckelte. Margot musste vom Gas gehen.

»Die krieg ich noch«, murmelte sie und nahm wieder Fahrt auf.

Laura hielt sich an ihrem Gurt fest. Zuerst die Nachricht, dass sie nicht schwanger war, jetzt eine wilde Verfolgungsjagd.

»Mir ist gar nicht gut. Ich meine, ich bin natürlich glücklich, nicht schwanger zu sein, aber ...« Das stimmte. Sie war ja nur deshalb weggelaufen.

»... aber es bringt deine Planung durcheinander.« Wie immer traf Margot den Nagel auf den Kopf.

»Was sage ich jetzt meinen Eltern? Wie blöd klingt denn eine unbegründete Schwangerschaftspanik!«

»Und die ganzen Fotos, die du Matthias geschickt hast ...«

Laura seufzte und legte unwillkürlich wieder die Hand auf den Bauch. »Ich glaube, ich muss mich erst einmal an den Gedanken gewöhnen.«

»Neuerungen sind Furcht einflößend«, sagte Sabine leiser als gewöhnlich, »auch, wenn man sie sich wünscht.«

Laura blinzelte. Seit wann war Sabine so weise? Ein Geräusch ließ sie aufhorchen.

»Eine Sirene. Das ist eine Sirene!«

Sabine räusperte sich, zog die Augenbrauen hoch

und deutete auf das zivile Polizeifahrzeug mit Blaulicht auf dem Dach hinter ihnen.

Laura schüttelte den Kopf. Da war noch eine, ganz sicher. »Nein! Die hinter uns sind das nicht.«

Vor ihnen kreuzte sich die Straße, von rechts kam mit heulendem Martinshorn und eingeschaltetem Blaulicht ein Streifenwagen angefahren.

»Festhalten«, rief Margot.

Der Motor heulte auf, sie musste das Gaspedal bis zum Anschlag durchgedrückt haben. Margot riss das Lenkrad nach links, um nicht mit dem Streifenwagen zusammenzuprallen. Ihr Auto kam ins Schleudern, doch dann rasten sie weiter, vorbei an der Einmündung, an der der Streifenwagen nun ihren zivilen Verfolgern den Weg blockierte. Um Haaresbreite hätten sie das Polizeiauto gerammt. Laura merkte erst, dass sie den Atem angehalten hatte, als sie nach Luft schnappen musste.

»Anfänger.« Margot schüttelte missbilligend den Kopf.

Sie holten auf, der Audi war nicht mehr weit vor ihnen. Offenbar hatten die Kriminellen das ebenfalls bemerkt. Sie ließen Margot nah herankommen, dann bremsten sie auf einmal abrupt, um einer Abzweigung zu folgen. Margot versuchte noch, ihr Tempo zu verringern, konnte das Kreischen der Bremsen aber nicht verhindern. Zum zweiten Mal innerhalb weniger Minuten geriet ihr Wagen ins Schleudern, zum zweiten Mal innerhalb weniger Minuten setzte Lauras Herzschlag aus. Sie drehte den Kopf, um nach hinten zu sehen. Der Streifenwagen, der versucht hatte, ihnen den Weg abzuschneiden, war inzwischen ebenfalls in ihre Verfolgung verwickelt, sodass nun vier Autos über die Landstraße in Richtung Meer rasten.

Jetzt tauchten vor ihnen Häuser auf.

»Brindisi!« Sabine beugte sich nach vorn. »Sie wollen zum Hafen.«

47

»Pass auf, die Vespa!«

Laura saß vor Anspannung ganz steif da.

Margot wich der Vespa aus, wodurch sie jedoch geradewegs auf einen Fußgänger zusteuerte, der sich mit einem beherzten Sprung hinter eine Mülltonne rettete. Sie hoffte, dass er sich nicht verletzt hatte.

Bedauerlicherweise konnte Margot sich jetzt nicht um den armen Mann kümmern, jeder Blick zur Seite war riskant. Vor ihnen hielten die Flüchtenden ein gefährlich hohes Tempo, während sie durch die engen Straßen von Brindisi kurvten. Offenbar kannten sie sich aus. Hartnäckig versuchten sie Margot abzuhängen. Sie musste sich wirklich aufs Fahren konzentrieren.

»Sie haben ein Boot im Hafen, ganz sicher«, murmelte Sabine. »Hab ich's doch gewusst!«

Richtig. Eine letzte Biegung, und sie konnten das Meer sehen.

»Pass auf!«, kreischte Laura. Sie rasten die Hafenpromenade hinunter.

»Da vorn!« Sabine wies auf ein Schiff, nein, eine Fähre, mit laufendem Motor. Die große Luke stand offen, sodass ein Auto bequem hineinfahren konnte. »Sie wollen da rauf«, rief sie. »Du musst sie stoppen!«

»Wie?«

»Rammen!«

Das war doch wohl nicht Sabines Ernst?

Sie kamen der Fähre näher, dem Auto der Entführer ebenfalls. Margot konnte jetzt deutlich Thomas Hinterhofer auf dem Rücksitz erkennen, besser das Klebeband, das einmal um seinen Kopf gewickelt war. Sie biss die Zähne zusammen, scherte ein winziges bisschen nach rechts aus und drücke das Gaspedal durch. Ihre Stoßstange traf den Audi an der rechten Heckseite. Der Aufprall war zu schwach, er reichte gerade dazu, dass der Wagen ein wenig ins Schlingern geriet.

»Noch einmal!«

Sie hatten aufgeholt, fuhren jetzt direkt neben den Entführern. Margot drehte das Lenkrad nach rechts, dann heftig nach links. Diesmal nahm ihr der Aufprall für einen kurzen Moment den Atem. Instinktiv drückte sie auf die Bremse, zu spät dachte sie daran, dass sie die Entführer noch nicht besiegt hatten. Doch eine Öllache war ihre Rettung. Das schlingernde Auto der Bankräuber, die ihr Tempo trotz der gefährlichen Situation nicht verringert hatten, geriet vollends außer Kontrolle und raste in vollem Tempo weiter, seitlich über die Promenade hinaus, direkt ins Meer.

»Du liebe Zeit«, keuchte Laura. Sie hatte ihre Finger ins Armaturenbrett gekrallt, die Knöchel traten weiß hervor. »Wir haben sie gekriegt. Was sagst du? Wo bleibt dein Galgenhumor?«

Margot lächelte schwach, während sie ihre zittrigen Hände begutachtete.

Laura setzte sich auf. »So was wie ›Da sind die Bankräuber mit ihrem Plan wohl baden gegangen‹ hätte ich erwartet.« Sie grinste. Dann riss sie die Augen auf. »Unsere Schildkröte!«

O Gott. Der arme Mann gefesselt und geknebelt im Meer.

Sabine riss die Autotür auf und sprintete zum Rand der Promenade. Margot stieg ebenfalls aus. In diesem Moment hielt der Zivilpolizeiwagen mit quietschenden Reifen neben ihnen. Mit offenem Mund verfolgten die beiden Polizisten, wie Sabine sich mit einem Kopfsprung ins Meer stürzte.

Margot fuchtelte mit den Armen, um sich verständlich zu machen. »Worauf warten Sie noch? Hinterher!«

Die beiden jungen Männer blickten sich verwirrt an, dann sahen sie zu dem Auto, das im Hafenbecken schwamm.

»Na, hopp, hopp!« Laura klatschte in die Hände.

Das war doch wohl international genug, um auch von einem Italiener verstanden zu werden, oder?

Jetzt hatte auch der Streifenwagen die Promenade erreicht. Die Zivilpolizisten schienen die gefährliche alte Dame mit dem jungen Mädchen wohl in sicheren Händen zu wissen. Tatsächlich zogen sie jetzt ihre Schuhe aus und sprangen Sabine hinterher. Die hatte schon die hintere Autotür geöffnet. Gemeinsam mit den beiden Männern zog sie den Privatdetektiv aus dem Wagen und riss ihm das Klebeband vom Mund. Thomas prustete und hustete und rang um Atem. Er sah schwer mitgenommen aus, aber er schien keine größeren Verletzungen zu haben, soweit Margot das von der Promenade aus beurteilen konnte. Die beiden Zivilpolizisten schwammen den Entführern hinterher, die versuchten, sich auf die Fähre zu retten. Diese aber hatte längst vom Ufer losgemacht und wurde von der Strömung aus dem Hafenbecken hinausgetrieben. Auf dem Heck hatten sich sämtliche Passagiere versammelt und beobachteten ungläubig das Treiben vor ihnen.

Sabine trat Wasser, bis sie wieder am Ufer war, Laura und Margot halfen ihr, Thomas an Land zu ziehen.

Aufgeregtes Rufen ließ Margot wieder aufs Wasser blicken. Die beiden Zivilpolizisten hatten die Frau beinahe erreicht, einer ihrer Kumpane wurde gerade dingfest gemacht. Er wehrte sich, trat um sich und versuchte, mit den Fäusten auf die Polizisten einzuschlagen. Dann riss er seinen Rucksack vom Rücken, öffnete ihn, schüttelte ihn aus, und plötzlich schwammen unzählige Geldscheine auf dem Meer. In Sekundenschnelle wurden sie vom Wasser fortgetragen.

»*I soldi! Là!*«

Die Streifenpolizisten, von denen immer mehr auf der Promenade standen, mittlerweile hatten schon fünf Streifenwagen den Hafen erreicht, standen am Ufer und schrien durcheinander. Zwei weitere Polizistinnen entledigten sich ihrer Jacken, nahmen Anlauf und sprangen zu ihren Kollegen ins Hafenbecken.

»*A sinistra! Qui! Là! A destra!*«

Die übrigen übertönten sich gegenseitig mit Richtungsanweisungen. Es war nicht klar, ob sie das Geld retten, die Frau und ihren zweiten Komplizen dingfest machen oder beides tun wollten.

Hinter Margot räusperte sich jemand.

»Vielleicht könnten Sie uns einige Fragen beantworten?«

Der Mann in der schicken Uniform, der gut, aber mit starkem Akzent Deutsch sprach, kam Margot bekannt vor. Den hatte sie ganz sicher schon einmal gesehen. Sie kniff die Augen zusammen …

»O Himmel!«, rief sie. »Sie habe ich in den Brunnen geschubst!«

48

Sabine wrang ihr tropfnasses Kleid aus und schüttelte das Wasser aus den Haaren. Der durchnässte Privatdetektiv konnte seine Augen nicht von ihr abwenden.

»Sie waren fantastisch«, sagte er und lächelte schüchtern. Er war immer noch gefesselt.

»Ist es zu früh, wenn ich … Also, meinen Sie, ich könnte …« Thomas Hinterhofer verhaspelte sich, probierte es dann von Neuem. »Würden Sie mir die Ehre geben, mit mir essen zu gehen?«

»Zeigen Sie mal Ihre Hände.«

Sabine beugte sich vor, um Thomas von dem Strick zu befreien, hauptsächlich aber, um ihm nicht in die Augen sehen zu müssen. Ihre Wangen brannten. Sie dachte an Robert, an den Aktenkoffer, an ihr Leben. Sie konnte doch nicht mit einem wildfremden Mann, der durch Zufall in ihr Leben getreten war, essen gehen. Oder konnte sie?

Als sie die Fesseln gelöst hatte, strich sie sich eine Haarsträhne aus der Stirn. Sie fiel immer wieder nach vorn, ihre Haare waren einfach zu kurz. Sie konnte sich noch gar nicht daran gewöhnen.

Ein Polizeibeamter trat auf sie zu. »Würden Sie uns bitte ein paar Fragen beantworten?«, fragte er auf Italienisch.

Thomas sah Sabine fragend an, und sie übersetzte. Dem Polizisten nickte sie zu. »Einen Augenblick, ja?«

Der Mann deutete auf den Streifenwagen, dessen Türen und Kofferraumklappe offen standen. »Dort hinüber, bitte«, sagte er und ging voraus.

»Ich arbeite nicht mehr für Ihren Mann«, sagte Thomas. Sein Adamsapfel hüpfte nervös auf und ab, und Sabine musste lächeln. Laura hatte recht, sein Hals wirkte tatsächlich ein wenig wie der einer Schildkröte. Der einer niedlichen Schildkröte.

»Das weiß ich.« Sabine sah auf ihre Hände.

Thomas nickte und räusperte sich. »Sie müssen nicht zusagen, nicht jetzt«, sagte er. »Aber wenn Sie jemals, irgendwann, Lust haben, mich besser kennenzulernen …« Er hielt inne. Seine Worte schienen in der Luft zu hängen. »Sie sind die mutigste Frau, der ich jemals begegnet bin«, setzte er hinzu.

Instinktiv wollte Sabine widersprechen, dann dachte sie daran, dass sie gerade ein spektakuläres Rettungsmanöver hinter sich hatte. Gemeinsam mit Margot und Laura waren sie Hunderte von Kilometern gefahren, hatten in Pistolenmündungen geblickt und schließlich sogar eine filmreife Verfolgungsjagd veranstaltet. Sie lächelte.

»Lassen Sie uns hinübergehen.« Sabine deutete mit dem Kinn zum Streifenwagen. »Die wollen uns Fragen stellen.«

Sabine nahm seine Hand und hielt sie fest, als wäre es das Selbstverständlichste von der Welt. Sie ließ sie auch nicht los, als die Polizei längst all ihre Fragen gestellt hatte.

49

Es dauerte eine ganze Weile, bis die Situation unter Kontrolle war. Die beiden zivilen Polizisten, denen sie die Verfolgungsjagd schwierig gestaltet hatten, ließen sich erst durch den Polizeipräsidenten Roms beruhigen, der auffallend großzügig war und Margot ihren kleinen Ausrutscher am Trevi-Brunnen sofort verzieh. Sie hatte ihn mit ihrem Charme so bezaubert, dass er ihnen die kleine Verfolgungsjagd nicht übel nahm.

»Sie haben uns wirklich sehr geholfen.«

Der Polizeipräsident lächelte ihnen zu, während er einem übereifrigen Polizisten das Strafmandat für zu schnelles Fahren aus der Hand nahm. Er zerknüllte es und steckte es in die Hosentasche.

Margot strahlte ihn an. »Das haben wir doch gern gemacht. *Prego!*«

Türen klappten, der erste Streifenwagen mit einem klatschnassen Bankräuber fuhr davon. Tatsächlich waren die drei die gesuchten Kriminellen gewesen, die die Innsbrucker Sparkasse überfallen hatten.

Ein Roller kam auf die Promenade gefahren. Die schwarze Gestalt kam Laura bekannt vor.

»Du bist mir weiter gefolgt?«, fragte sie ungläubig, als der Roller vor ihr hielt.

Matthias nahm seinen Helm ab. »Natürlich! Glaubst du, ich lass dich noch einmal aus den Augen?«

Laura sah zu Margot, doch die zwinkerte ihr nur zu und ging zurück zu ihrem Auto.

»Ich liebe dich, Laura.«

»Ich … ich bin nicht schwanger.«

Matthias blinzelte.

»Die Fotos. Hast du dich nicht gefragt, was die ganzen Bäuche für eine Bedeutung haben?«

»Aber ich liebe deinen Bauch.«

Laura kniff die Augen zusammen. »Ich hätte dich nicht gebraucht, um unser Kind zu erziehen, weißt du?«

Matthias nickte.

»Und wenn ich eine Abtreibung gewollt hätte, hätte ich das auch allein entscheiden können.«

Er nickte wieder.

»Mein Leben ist okay, so, wie es ist.«

»Du brauchst mich nicht. Gut. Du kommst ohne mich zurecht. Auch gut. Aber könntest du nicht trotzdem mit mir zusammen sein? Mit mir ins Kino gehen? Mit mir …« Er sah sie hoffnungsvoll an.

»Und die rote Rosa?«, konnte Laura sich nicht verkneifen zu sagen.

Auch wenn Matthias ihr bis nach Italien gefolgt war, er hatte sie verlassen. Und sie wusste nicht, ob sie ihm das so einfach verzeihen konnte.

Er reagierte nicht direkt auf ihre Frage. Aber er sagte: »Ein Kind würde ich nur mit dir erziehen.«

»Oh …« Laura trat einen Schritt zurück. »Ich bin nicht schwanger. Ich bin doch nicht schwanger!« Das hörte sich unglaublich gut an. Sie lächelte.

»Kommst du jetzt zurück nach Hause?«

Laura sah zu Margot und ihrem Auto. »Ich muss vorher noch etwas erledigen.« Margot konnte schließlich nicht ohne sie nach Sizilien fahren. Auf seinen traurigen Blick hin sagte sie schnell: »Aber nächste Woche werde ich wieder zurück sein.« Sie drehte sich um, als sie sein Lächeln sah. In sein Lächeln hatte sie sich als Erstes verliebt. »Bis dann!«

Laura schlenderte hinüber zu Margot, die an ihrem Wagen lehnte, das Gesicht der Sonne zugewandt. Die rechte Hand strich über die beschädigte Kühlerhaube.

»Ob die Versicherung das wohl zahlt?«

»Alles im Dienste der Gerechtigkeit. Da sollten die eigentlich ein Auge zudrücken.«

Ein Streifenwagen parkte ein Stück weiter auf der Promenade. Gerade wurde Thomas Hinterhofer, dem man eine Wolldecke um die Schultern gelegt hatte, befragt. Sabine stand, ebenfalls in eine Wolldecke gewickelt, neben ihm und hielt seine Hand.

Margots Handy klingelte. Sie seufzte und griff in ihre Handtasche.

»Wir haben gerade ein paar Verbrecher erledigt. Da wird mir das auch noch gelingen«, sagte sie.

Laura gab ihr mit dem ausgestreckten Daumen zu verstehen, dass sie voll und ganz hinter ihr stand.

»Margot Winterhut, womit kann ich Ihnen helfen?«, meldete sie sich gestelzt.

Sie hielt das Telefon ein Stück vom Ohr weg. Wie erwartet konnte Laura Margots Sohn brüllen hören. Sie schüttelte energisch den Kopf. Margot lächelte und nickte.

»Daniel, ich danke dir dafür, dass du dir Sorgen machst. Es ist schön zu wissen, dass ich dir nicht egal bin.« Sie holte Luft, und beim nächsten Satz wurde ihre Stimme hart. »Aber jetzt lass mich in Ruhe. Ich bin eine erwachsene Frau, die weiß, was sie tut. Ich melde mich bei dir, wenn ich wieder in Deutschland bin und Lust dazu habe.« Sie lächelte und ließ das Handy fallen. »Hoppla«, sagte sie und platzierte den Absatz ihres schwarzen Pumps direkt auf dem Display. Es krachte laut und vernehmlich.

Laura nickte anerkennend. »Du kannst es tatsächlich. Siehst du?«

Margot lächelte. »Was hast du jetzt vor?«, fragte sie.

»Ich treffe mich wieder mit Matthias.«

»Er ist schließlich deine große Liebe.«

Laura zuckte mit den Schultern. »Ich weiß noch nicht. Aber wir werden es wohl wieder miteinander versuchen. Und du?« Laura steckte die Hände in die Hosentaschen. »Altersheim?«

Margot rückte wie so oft mit beiden Händen ihre silbergrauen Locken zurecht. »Ich glaube, ich könnte ein bisschen Urlaub gebrauchen, was Entspannendes. Vielleicht eine Safari …« Sie zwinkerte Laura zu.

Laura blickte dem Zivilwagen der Polizei nach, der gerade davonfuhr. Die rote Tomate auf dem Heck machte sich ausgesprochen hübsch. Sie wandte sich wieder dem Meer zu. Ein Geldschein schwappte gegen den Pier.

»Was ist mit Sizilien? Der Ätna soll noch tomatenlos sein, hab ich gehört …«